O'r Llinell Biced i San Steffan

SIÂN JAMES, AS

gydag Alun Gibbard

y **L***olfa*

CYNGOR LLYFRAU CYMRU

ISBN: 978 1 78461 113 2
Argraffiad cyntaf: 2015

Mae'r prosiect Stori Sydyn/Quick Reads yng Nghymru
yn cael ei gydlynu gan Gyngor Llyfrau Cymru
a'i gefnogi gan Lywodraeth Cymru.

Argaffwyd a chyhoeddwyd gan
Y Lolfa, Talybont, Ceredigion SY24 5HE
gwefan www.ylolfa.com
e-bost ylolfa@ylolfa.com
ffôn 01970 832 304
ffacs 832782

Cynnwys

1. Cyffro!

YDYCH CHI'N GWYBOD AT beth mae'r sylwadau isod yn cyfeirio? Mae'n ddigon tebyg na fydd llawer o bobol dan bedwar deg mlwydd oed yn gwybod yr ateb.

- 'Welwn ni ddim byd tebyg byth eto.'
- 'Roedd yn ergyd galed iawn i bobol de Cymru a dyw Cymru ddim wedi bod yr un peth ers hynny.'
- 'Fe wnaethon ni weld lladd ffordd o fyw sydd wedi bodoli yng Nghymru ers canrif a mwy.'
- 'Roedd y diweddglo'n drist iawn, fel colli rhywun sy'n agos atoch chi.'

Maen nhw'n eiriau cryf ac yn awgrymu bod rhywbeth mawr wedi digwydd i Gymru a hynny oherwydd un digwyddiad penodol. Dwi'n gwybod beth oedd y digwyddiad hwnnw gan fy mod i'n rhan ohono. Do, fe wnaeth e newid Cymru, a hefyd newid ffordd o fyw unigolion a theuluoedd mewn pentrefi a threfi drwy Gymru gyfan. Ac fe wnaeth e newid fy mywyd i.

Rydyn ni'n sôn, wrth gwrs, am Streic y Glowyr 1984/85. Dyna i chi gyfnod pwysig iawn yn stori Cymru. Roedd llywodraeth y dydd am gau pyllau glo drwy Brydain. Yn ôl y Prif Weinidog ar y pryd, sef Margaret Thatcher, roedd nifer fawr o byllau glo yn colli arian. Doedden nhw ddim yn gweithio fel y dylen nhw fod yn gweithio. O ganlyniad, meddai hi, roedd angen eu cau, ond doedd y glowyr ddim yn cytuno â hi. Roedden nhw'n dadlau bod modd rhoi help llaw i'r pyllau glo roedd hi'n eu beirniadu a chael llwyddiant unwaith eto. Roedden nhw hefyd yn anghytuno â Margaret Thatcher ynglŷn â rhai pyllau glo a oedd, yn ei barn hi, yn methu. Doedd y pyllau glo hynny ddim mewn trafferth mewn gwirionedd, meddai'r glowyr. Ond rhestrodd Maggie Thatcher nhw fel rhai oedd yn methu er mwyn eu defnyddio fel arf i ymladd yn erbyn y glowyr.

Doedd Maggie Thatcher ddim yn hoff o'r undebau na'r glowyr. Yn wir, roedd hi am gael gwared arnyn nhw. Ar y pryd, roedd 28 o byllau glo ar hyd a lled de Cymru ac roedd Maggie Thatcher am gau rhai ohonyn nhw. Roedd dros 33,000 o bobol yn gweithio ym mhyllau glo'r de. Rhaid cofio bod y glowyr hefyd yn rhan bwysig o fywyd y pentrefi ac yn cynnal traddodiadau'r ardal. Fyddai llawer o bentrefi'r de ddim yn bodoli heblaw fod pwll glo wedi agor yn yr ardal. Mae glo, y glöwr a chymunedau'r pyllau glo yn rhan o guriad calon Cymru ac yn ymestyn 'nôl ymhell dros gan mlynedd.

Nid ar chwarae bach roedd sôn hyd yn oed am gau un pwll glo yn ne Cymru. Er mwyn dangos eu gwrthwynebiad i fwriad Margaret Thatcher i gau dau ddeg o byllau glo Prydain, fe ddywedodd y glowyr y bydden nhw'n mynd ar streic. Wrth benderfynu peidio â gweithio roedden nhw'n fodlon byw heb dderbyn cyflog.

Bryd hynny, ar ddechrau'r flwyddyn 1984, roedd fy ngŵr i, Martin, yn löwr. Roedd e'n gweithio yng ngwaith glo Aber-nant, ddim yn bell iawn o Abertawe. Fe wnaeth e ymuno â glowyr eraill de Cymru ym mis Mawrth 1984 a gwrthod mynd i'r gwaith fel protest yn erbyn y cynlluniau i gau'r pyllau glo. Doedd dim syniad gan Martin, na dim un glöwr arall oedd ar streic, na'u teuluoedd chwaith, y byddai'r streic yn para am flwyddyn gyfan. Yn sicr, doedd dim syniad gen i, fel gwraig i löwr, y byddwn i'n gorfod byw am flwyddyn gyfan heb fod arian yn cael ei ennill gan unrhyw aelod o'r teulu. Does neb yn gallu rhoi cyngor i chi nac yn gallu eich paratoi sut i fagu dau o blant, a chadw cartre, heb arian.

Ond dyna'r sefyllfa roeddwn i ynddi ym mis Mawrth 1984 ac am flwyddyn gyfan yn dilyn hynny. Pan ddechreuodd y streic, roeddwn i'n gadarn y tu ôl i awydd Martin i streicio. Roeddwn i'n teimlo'n gryf nad cau'r pyllau glo oedd yr opsiwn cywir. Roedd cymunedau cyfan ar hyd a lled de Cymru, ac yn y gogledd hefyd, wedi cael eu creu gan y diwydiant glo ac yn dibynnu arno. Roedd y glöwr yn ffigwr cwbl ganolog yn stori'r gymuned lle ces i fy magu yng Nghwm Tawe. Byddai cau'r pwll yn yr ardal honno yn lladd y gymuned ac yn lladd ffordd o fyw pentre oedd wedi bodoli ers cyn cof y person hynaf yn ein mysg.

Ond ar ddechrau'r streic, doedd gen i ddim syniad y byddai fy mywyd i'n newid cymaint oherwydd Streic y Glowyr a bod fy ngŵr wedi ymuno â nhw. Er bod digon gen i i'w ddweud, doeddwn i ddim yn berson gwleidyddol amlwg. Roedd barn bendant gen i ar bethau fyddai'n digwydd yn y byd. Ond, bois bach, doedd dim syniad gen i beth fyddai'n ein hwynebu ni yn ystod y flwyddyn honno adeg y streic. Yn gwbl annisgwyl, fe wnes i sefyll ar linell biced a hynny yn ystod oriau mân a thywyll y bore er mwyn cefnogi'r glowyr. Roedd bod ar linell biced yn sefyllfa newydd i fi, ac fe ges i'r un profiad dro ar ôl tro.

Y profiad mwyaf rhyfeddol, serch hynny, oedd cael actores broffesiynol yn chwarae fy nghymeriad mewn ffilm ddogfen go iawn.

Nawr, doedd hynny ddim yn rhan o gynlluniau fy mywyd, nac yn rhan o 'mreuddwydion i chwaith.

Mewn gwirionedd, doedd dim syniad gen i sut y byddai fy mywyd i'n newid ar ôl i'r streic ddod i ben. Fyddwn i byth wedi breuddwydio y cawn i fy ethol yn Aelod Seneddol. Erbyn i chi ddarllen y llyfr yma, bydda i wedi bod yn Aelod yn San Steffan am ddeng mlynedd. Mae'n anodd iawn i fi gredu hynny, fel croten o deulu traddodiadol Gymraeg o Gwm Tawe. Ond dyna fe, streic fel 'na oedd Streic Fawr 1984/85, streic a gafodd effaith ysgytwol ar gymaint o bobol.

Dyna'r daith sydd yn y stori yma, taith sy'n darlunio'r amser caled gawson ni. Mae hi'n stori o gyffro, drama a thensiwn, stori hefyd o chwerthin, o gyfnodau da a phobol yn tynnu at ei gilydd. Mae'n stori sy'n ymwneud â rhai o gymunedau mwyaf cymdogol Cymru. Mae hefyd yn stori bersonol iawn i fi, yn stori o obaith a chael cyfle i newid cyfeiriad mewn bywyd.

2. Y Streic

ANGHOFIA I FYTH Y diwrnod pan ddechreuodd pethau newid go iawn yn fy mywyd. Ar ddechrau'r streic roeddwn yn cefnogi'r achos yn y ffyrdd arferol i fenywod, sef helpu gyda'r ceginau cawl a chynnal ffeiriau sborion. Fe geisies i gasglu arian hefyd drwy fynd o dŷ i dŷ, a gwerthu planhigion roedd Mam wedi'u tyfu. Roedd yn rhaid cael arian i fwydo'r plant, a phlant bach ar y pryd oedd Rhodri a Rowena. Heb gyflog, roedd yn waith caled meddwl am ffyrdd o godi arian i gael bwyd a dillad i'r teulu.

Mis Tachwedd 1984 oedd hi, a Martin a'r glowyr eraill wedi bod ar streic am bron i naw mis. Roedd bywyd wedi bod yn galed. Daeth sôn yn yr ardal gartre fod un dyn am fynd 'nôl i'r gwaith ym mhwll glo Aber-nant. Fe newidiodd hynny fy agwedd i'n llwyr. Roedd yn ddigon i dorri fy nghalon i wybod bod rhywun o'n plith ni'n ystyried torri'r streic. Felly, fe wnaethon ni fegian arno i beidio â mynd yn ôl. Doedden ni ddim yn gallu deall pam roedd e'n dewis troi ei gefn ar yr hyn roedd y glowyr wedi sefyll drosto am fisoedd lawer. Beth oedd e'n feddwl y gallai ei gyflawni wrth fynd 'nôl i'r gwaith?

Ond wnaeth e ddim gwrando ar y bobol oedd

yn byw yn yr un pentre ag e, na'r glowyr oedd yn gweithio yn yr un pwll ag e. Y bore pan oedd yr un oedd am dorri'r streic wedi trefnu i fynd 'nôl lawr i'r pwll, penderfynodd grŵp ohonon ni, fenywod, nad oedden ni'n gallu aros gartre a gwneud dim. Aethon ni lan i'r pwll a sefyll ochor yn ochor â'r glowyr. Bore oer, tywyll oedd hi pan aethon ni at y gatiau ym mhwll Abernant. Roedd y glowyr yno'n barod, yn sefyll o flaen y gatiau er mwyn rhwystro'r glöwr rhag mynd i'w waith. Fe gymeron ni ein lle wrth eu hochor a sefyll ysgwydd wrth ysgwydd â nhw.

Cyn hynny, roedden ni fel gwragedd y glowyr wedi bod yn ddigon gweithgar yn ein ffyrdd ein hunain. Wrth weithredu ar ran y glowyr, dechreuodd ein ffordd o feddwl fynd yn fwy a mwy gwleidyddol. Yn sydyn reit, doedden ni ddim yn trafod y streic yn unig, ond roedden ni'n trafod y sefyllfa wleidyddol mewn gwledydd eraill hefyd. Felly, roedd sefyll ar y llinell biced yn gam naturiol pellach yn y rôl roedden ni, fenywod, yn ei chymryd dros safiad y glowyr.

Roedd yn fore o densiwn uchel iawn y bore hwnnw a'r teimladau yn gryf ac yn amlwg. Doedd yr heddlu ddim yn disgwyl gweld ymateb mor gadarn, dwi ddim yn credu. Roedd y gwaith glo wedi trefnu y byddai'r glöwr a oedd am fynd 'nôl i'w waith yn teithio yno mewn bws mini, ac y byddai'r heddlu yno er mwyn atal unrhyw un rhag mynd yn agos ato. Roedd y tensiwn yn amlwg. Mynnodd gyrrwr y bws fynd at y gatiau ond roedd y glowyr oedd yn picedu yn ceisio atal y bws. Daeth y ddwy ochor benben â'i gilydd ac roedd llawer iawn o weiddi yn naturiol, ond i nifer o bobol roedd yna deimlad o dristwch enbyd. Anodd iawn oedd derbyn bod un o'r dynion – rhywun roedd bron pob un ohonon ni'n ei adnabod ers iddo fod yn grwt ysgol – yn herio'r rhai oedd yn sefyll dros y streic.

Yn sydyn reit, cyrhaeddodd y tensiwn uchafbwynt dramatig. Wrth i'r bws gyrraedd y gatiau, fe wnaeth yr holl wthio a thynnu, y gweiddi a'r bygwth, ferwi drosodd. Trodd y bws mini ar ei ochor ar yr hewl o'n blaenau ni...

I fi'n bersonol, roedd gwaeth i ddod. Ar ôl peth amser, daeth yn amlwg nad oeddwn i'n gallu dod o hyd i Martin, y gŵr. Wedi i fi ac eraill holi amdano, fe gawson ni neges ei fod e a rhyw bump arall wedi cael eu cludo o'r safle gan yr heddlu. A finnau'n dechrau becso nawr, fe es i holi mwy o bobol. Neidies i mewn i'r car a mynd o un orsaf heddlu i'r llall. Yn y diwedd, fe gawson ni'r ateb fod Martin yn cael ei gadw mewn cell yng Ngorsaf Heddlu Pontardawe.

Doedd dim modd i fi gael gair gydag e, a doedd gen i ddim syniad pam roedd e mewn cell. Wnes i ddim gweld unrhyw beth o'i le nac unrhyw wrthdaro ar y llinell biced. Yr unig beth y gallwn ei wneud oedd mynd adre ac aros i weld beth fyddai'n digwydd i Martin.

Fe ddywedodd wrtha i yn ddiweddarach ei fod wedi cael ei arestio – roedd hynny'n amlwg. Boi tawel iawn yw Martin, a fydd e ddim yn dweud llawer. Pedwar gair roedd e wedi'u hysgrifennu ar y datganiad yng nghell yr heddlu, 'I was not swearing'. Dyna'r cyhuddiad oedd yn ei erbyn. Roedd wedi cael ei gludo i gell yr heddlu am regi. Rhegi! Ie, boi tawel iawn na fydd yn siarad llawer yw Martin, ond ma fe'n rhegi llai.

Ond roedd y cyhuddiad yn ei erbyn wedi cael ei wneud, a doedd dim posib atal y broses gyfiawnder. Y cam nesaf oedd ymddangos yn y llys. Ar ôl gwrando ar yr achos yn erbyn Martin, penderfynodd y llys ei fod yn euog o'r cyhuddiad yn ei erbyn. Y ddedfryd oedd cael ei wahardd rhag ymddangos ar unrhyw linell biced drwy Brydain gyfan. Er ei fod wedi picedu am naw mis cyfan heb gael unrhyw drafferth, châi e ddim sefyll ar linell biced bellach, ochr yn ochr â'i gyd-lowyr yn eu safiad dros gadw'r pyllau glo.

Doedd dim byd arall amdani felly, byddai'n rhaid i fi gymryd ei le. Ei frwydr e oedd fy mrwydr i, a bu hynny'n drobwynt yn fy mywyd.

Ond cyn sôn mwy am y llwybr newydd hwn, falle ei fod yn syniad i chi ddeall mwy am y daith arweiniodd at gatiau'r pwll glo yn Abernant. Byddwch yn deall y newid a ddigwyddodd y diwrnod hwnnw yn well wedyn.

3. Bro fy mebyd

Yᴍ ᴍʜᴇɴᴛʀᴇ ʙᴀᴄʜ Cᴡᴍɢïᴇᴅᴅ y ces i fy magu. Wel, dyna lle roedd Mam a Dad yn byw ar y pryd, er taw yn Ysbyty Treforys y ces i fy ngeni. Oherwydd yr un ffaith ddaearyddol hon roedd y teulu i gyd yn fy ngalw i'n Swansea Jack! Cafodd fy mrawd ei eni gartre ac felly, er bod Cwmgïedd yng Nghwm Tawe, doedd e ddim yn Swansea Jack. Pobol y dre neu'r ddinas ei hun sy'n cael yr enw hwnnw. Fi oedd Jack y teulu, felly!

Go brin bod gwell enghraifft o bentre bach traddodiadol, Cymraeg na Chwmgïedd. A phentre Cymraeg oedd e, cofiwch, nid Cymreig. Dwi ddim yn credu i fi siarad gair o Saesneg am flynyddoedd lawer ar ôl cael fy ngeni, a Chymraeg oedd iaith pob plentyn arall yn y pentre pan oeddwn i'n blentyn. Byddai fy holl fywyd yn digwydd o fewn yr un pentre bach yma. Roedd yn llawn cymeriadau, ac un o'r rhai amlycaf oedd Eddie Thomas, neu Eddie Shinc fel byddai pawb yn ei alw. Fe oedd cigydd y pentre, ac roedd ei siop yn ganolfan gymdeithasol answyddogol hefyd i ni i gyd. Yn ogystal â synnwyr digrifwch iach roedd dawn dweud stori anhygoel ganddo. Dim syndod felly i'w fab, Ed

Thomas, ddatblygu i fod yn un o ddramodwyr amlycaf Cymru heddiw.

Un cymeriad amlwg arall, adeg fy mhlentyndod yn y pentre, oedd Mrs P'well y Siop, a fyddai'n cadw'r siop a'r swyddfa bost. Ken y Bysys fyddai'n gyrru bws 159 o Gastell-nedd i Gwmgïedd. Pan fyddai'r bws yn mynd heibio ni'r plant wrth i ni chwarae ar y stryd, byddai Ken yn taflu rholiau cyfan o docynnau bws allan drwy'r ffenest. Bydden ni wedyn yn defnyddio'r tocynnau hynny i chwarae bysys ar y brif stryd. Byddai e'n siŵr o gael y sac am wneud y fath beth heddiw. Roedd pobol ddigon lliwgar hefyd yn ffrindiau i Dad, pobol fel Wili Bach.

Ar bnawn Sul, bydden ni, blant, yn cerdded draw i ysgol Sul Capel Yorath ac i'r Band of Hope. Roedd sawl hen fodryb i Mam yn byw ym mhen arall y pentre a bydden nhw'n sefyll ar y stepen drws er mwyn cadw golwg arna i'n cerdded i'r ysgol Sul o'n tŷ ni. Pan oeddwn i'n rhyw dair blwydd oed, dwi'n cofio mynd ar gefn beic tair olwyn ac Anti Maggie yn cwrdd â fi ar dop y tyle. Fyddwn i ddim yn cael gwneud hynny heddi.

I Ysgol Gymraeg Ynyscedwyn yr es i a'm brawd, Ian. Fe wnaeth y ddau ohonon ni fwynhau'n dyddiau yn yr ysgol yn fawr iawn. Mae darlun o bentre delfrydol yn dod i fy meddwl wrth hel atgofion am fy mhlentyndod yng Nghwmgïedd.

Glowyr oedd y rhan fwyaf o ddynion y pentre. Er hynny, nid glöwr oedd fy nhad. Roedd e'n gweithio yn ffatri enwog Tic Toc, y ffatri gwneud watshys yn Ystradgynlais. Pan gafodd y ffatri ei hagor yn 1947, hi oedd y ffatri gwneud watshys fwyaf ym Mhrydain ac un o'r rhai mwyaf drwy Ewrop gyfan. Fel y gallwch ddychmygu, roedd y ffatri fawr hon yn hollol ganolog i fywyd Ystradgynlais a'r pentrefi yn yr ardal. Rhwng 1947 ac 1980 cafodd tri deg miliwn o watshys a chlociau eu gwneud yn Ystradgynlais, a chafodd y rhain eu hanfon i dros chwe deg o wledydd drwy'r byd i gyd. Ar un adeg, dyna'r unig ffatri yn y byd i gyd a fyddai'n creu, o dan yr un to, watshys o'r darnau unigol nes eu bod wedi eu gorffen. Roedd Dad yn rhan o'r broses.

Bu Dad yn yr RAF am bron i bymtheg mlynedd, yn gweithio fel *fitter* ar yr awyrennau. Pan ddaeth e 'nôl adre ar ei wyliau, cwrddodd e â Mam. Un o Aber-craf oedd Dad, a Mam o bentre bach Cae'r Bont, hanner ffordd rhwng Ystradgynlais ac Aber-craf, ac yn un o efeilliaid. Pan aeth e 'nôl i weithio, dechreuodd y ddau ysgrifennu at ei gilydd yn gyson. Mae'r llythyrau caru i gyd gen i o hyd. Gadawodd Dad yr RAF wedyn er mwyn priodi Mam, a buon nhw'n byw yng Nghwmgïedd ar ôl priodi. A dyna lle gwnaethon nhw benderfynu dod â fi i'r byd.

Pan oeddwn i tua wyth mlwydd oed daeth newid byd i ni fel teulu – y newid mawr cyntaf i fi, mae'n siŵr. Er nad oedd Dad wedi rhoi'r gorau i'w waith yn Tic Toc, penderfynodd Mam a Dad gadw tafarn, y Castle Hotel yng Nghae'r Bont. Roedd yn dafarn ddelfrydol i'm rhieni am ei bod reit yn y canol rhwng y llefydd roedd Olive, mam Mam a Ruth, mam Dad yn byw. Ein cartre newydd ni, felly, fyddai tafarn fawr y Castle. Yn ôl rhai, roedd ysbrydion digon amrywiol yn byw yno hefyd ond, er mawr siom i fi, alla i ddim dweud i fi weld yr un ysbryd yno yn ystod y pedair blynedd y buon ni'n byw yn y dafarn.

Ar ôl ychydig, roedd Mam yn feichiog unwaith eto, ac fe benderfynon nhw symud o'r dafarn a mynd i lawr i fyw yn nhre fawr Castell-nedd. Hwn oedd y newid mwyaf yn ein bywydau, heb amheuaeth, gan fod bywyd yn hollol wahanol yng Nghastell-nedd. Yn sydyn reit, roedden ni'n byw mewn tre ac nid yng nghefn gwlad, felly roedd y gymuned o'n cwmpas ni'n wahanol. Y gwahaniaeth mwyaf, efallai, oedd nad yr iaith Gymraeg i'w chlywed bob dydd ar y stryd bellach.

Doedd dim cysylltiad amlwg gan y teulu â Chastell-nedd, er bod efaill Mam, Rae, yn berchen ar dafarn y Whitworth Arms mewn pentre ar gyrion y dre ar y pryd. Dyna'r unig gysylltiad mewn gwirionedd. Roedd y ddwy chwaer, felly, wedi cadw tafarn gan mai enwau'r ddwy chwaer oedd uwchben drysau eu tafarndai. Roedd hynny'n anarferol iawn, hyd yn oed ar ddechrau'r 1970au. Fyddai dim llawer o fenywod yng nghyfarfodydd Licensed Victuallers yr ardal, mae hynny'n sicr.

Mae'n siŵr gen i mai yn ystod y dyddiau hynny, wrth fyw mewn tafarn, y dysges i gryn dipyn ynglŷn â sut mae delio â phobol. Roedd Mam wastad yn dweud, 'Pawb â'i gleme!'– hynny yw, fod pawb yn wahanol a bod gan bawb ei ffordd ei hunan o wneud pethau ac o ymateb i bethau. Dwi'n cofio hi'n dweud bod ambell gwsmer yn amal yn anghywir, eraill ddim yn deall, a rhai jyst yn hollol dwp. Eto i gyd, roedd e neu hi'n dal yn gwsmer iddi.

Ces ddigon o gyfleon i wrando ar bobol oedd yn llawer hŷn na fi yn trafod pob math o bynciau yn y dafarn. Un o'r pynciau fyddai'n codi ei ben yn amal oedd gwleidyddiaeth. Does dim amheuaeth, felly, 'mod i'n hen gyfarwydd â chlywed pobol yn rhoi eu barn ar bynciau llosg y dydd. Ond peidiwch â chael yr argraff chwaith 'mod i'n byw a bod yn y bar. O na, fyddai Mam na Dad ddim yn gadael i fi fynd i'r bar o gwbl, heblaw ar nos Wener. Y noson honno, cawn fynd i mewn yn fy mhyjamas, a byddai Dad yn fy nghodi i eistedd ar y bar. Fan'na oedd yr unig fan lle gallwn i weld y teledu bach oedd yn y dafarn. Roedd yn rhaid i fi fod yn fy lle ar y bar mewn pryd er mwyn gallu gweld *The Man from U.N.C.L.E.*, gan mai Napoleon Solo a Illya Kuryakin oedd fy arwyr ar y pryd.

Mae'n rhaid dweud i fi weld bywyd yn anodd yng Nghastell-nedd, er bod llawer o bethau da ynglŷn â byw mewn tre fechan yn lle pentre bach. Un gwahaniaeth amlwg oedd y byddai'n rhaid chwilio am ffrindiau i siarad Cymraeg gyda nhw yng Nghastell-nedd. Yn Aber-craf ac yng Nghwmgïedd, yng Nghae'r Bont a phentrefi eraill Cwm Tawe, roedd y plant y byddwn i'n arfer chwarae gyda nhw yno ar stepen y drws o fore gwyn tan nos. Er bod digon ohonyn nhw yn byw yng Nghastell-nedd, roedd y Cymry Cymraeg yno yn fwy gwasgaredig. Cymerodd hi dipyn o amser i mi ddod yn gyfarwydd â hynny.

Wrth gwrs, roedd yn rhaid newid ysgol. Eglwyswraig oedd Mam, a Dad yn ddyn capel. Ond i ysgol yr Eglwys yng Nghymru, Ysgol Alderman Davies, y ces i a fy mrawd fynd yng Nghastell-nedd. Fe symudon ni yno yn fy mlwyddyn olaf yn yr ysgol gynradd. Cyn gynted ag y dechreues i yn yr ysgol newydd, roedd angen dechrau meddwl pa ysgol 'fawr' y byddwn i'n mynd iddi y flwyddyn wedyn. Ar y pryd, roedd y fath beth yn bod â'r Thorne System. Yn syml, byddai pob ysgol gynradd yn dewis eu chwe disgybl gorau yn y flwyddyn a nhw wedyn fyddai'n sefyll arholiad o'r enw 11+. Os bydden nhw'n pasio, yna byddai'r chwech nesaf yn cael sefyll yr arholiad hefyd. Byddai pawb fyddai'n llwyddo yn yr arholiad yn cael mynd i'r ysgol ramadeg a'r rhai fyddai'n methu yn mynd i'r ysgol uwchradd fodern. Yn naturiol, os na fyddai'r chwech gorau yn llwyddo i basio'r 11+, yna doedd dim diben gofyn i'r rhai nad oedd mor alluog â hwy, ym marn yr ysgol, sefyll yr arholiad.

Doedd Mam na Dad ddim yn deall y system, a hynny am fod ysgolion cyfun yn bodoli'n barod yn ardal Ystradgynlais, lle roedden ni'n arfer byw. Yn nhyb Mam a Dad, roedd system Castell-nedd yr un peth ag un Ystradgynlais, er nad oedd hi. Beth bynnag, sosialwyr rhonc oedden nhw a doedd meddwl am anfon eu plant i ysgol ramadeg ddim yn flaenoriaeth bwysig iddyn nhw. Yn ogystal â hyn, roeddwn i'n ddisgybl newydd yn yr ysgol ac felly roeddwn i tua gwaelod unrhyw restr academaidd fyddai gan yr athrawon.

O ganlyniad i hyn, gadawes Ysgol Alderman Davies a mynd i'r Gnoll Sec Mod, fel y câi ei galw. Felly, fyddwn i ddim yn cael addysg mewn ysgol ramadeg. Ysgol gymharol fach oedd y Gnoll, ysgol gymysg, er nad oedd y bechgyn a'r merched yn cael cymysgu â'i gilydd. Roedd iard i'r bechgyn a iard i'r merched. Doedd dim adran chwaraeon yn yr ysgol o gwbl. Yr hyn fydden ni'n ei gael fel ymarfer corff fyddai cael yr hawl i ddefnyddio'r baddonau yn yr adeilad weithiau, a ras draws gwlad unwaith y flwyddyn.

Doedd dim llawer o Gymraeg yn y Gnoll gan fod y Cymry Cymraeg yn cael eu hanfon i ysgol ddwyieithog Ystalyfera lan y cwm. Roedd pwysau ar Mam a Dad i fy anfon i a'm brawd i Ystalyfera. Er bod fy rhieni'n ddigon cefnogol i'r syniad, roedd Ian a fi yn erbyn mynd yno. Ni wrthododd. Falle fod hynny'n swnio'n rhyfedd iawn, gan fy mod i wedi pwysleisio cymaint o ddylanwad fu'r Gymraeg arna i trwy gydol fy mhlentyndod. Dwi hefyd wedi tynnu sylw at y ffaith 'mod i'n ei gweld hi'n rhyfedd iawn byw mewn tre lle nad oedd y Gymraeg mor amlwg ag yr oedd yn y pentrefi. Ond roedd pethau eraill yn pwyso ar y penderfyniad i beidio â mynd i Ystalyfera.

Roeddwn i newydd symud i'r dre ac wedi gorfod dechrau dod i nabod ardal wahanol. Bu'n rhaid i fi ddechrau gwneud ffrindiau newydd – proses ddigon anodd am fod ein hardal newydd mor wahanol i'r hen un. Doeddwn i ddim yn gallu wynebu symud i ysgol fawr mewn ardal arall a dechrau gwneud ffrindiau newydd unwaith eto. Pa fath o le fyddai Ystalyfera, beth bynnag? Gan nad oeddwn i'n gwybod fawr ddim am yr ysgol, roedd hynny'n rhan o'r broblem. Aros lle roeddwn i oedd y peth mwyaf diogel i fi ei wneud, a finnau'n un ar ddeg oed. Dyna lle roedd y sefydlogrwydd, a dyna beth ddigwyddodd.

Mae'n rhaid dweud i fi setlo'n gyflym iawn yn y Gnoll. Fe ddes i nabod llawer o blant fy oedran i, a rhai o gefndir gwahanol. Ymhen dim, roeddwn yn y deg uchaf yn fy mlwyddyn. Byddai'r enwau'r deg disgybl gorau ym mhob blwyddyn yn cael eu cyhoeddi yn y gwasanaeth yn y bore. Dyna oedd fy nod wedyn – cael fy enw ar y rhestr, a chlywed fy enw'n cael ei gyhoeddi o'r llwyfan gan y prifathro. Cyn hir, fe drodd yr awydd i fod yn y deg uchaf i fod yn awydd i fod yn y tri uchaf, ac fe lwyddes i sicrhau hynny hefyd. Ond doeddwn i ddim yn dda ym mhob pwnc. Fe ddes i'n 33 allan o 33 mewn gwnïo a gwyddorau cartref, a doeddwn i ddim yn ddigon da i sefyll Lefel O Maths chwaith. Ym mhob pwnc arall roeddwn yn ddigon hyderus. Daeth y system addysg gyfun i Gastell-nedd yn 1973, ac fe newidies ysgol a dod yn ddisgybl yn Ysgol Gyfun Cefn Saeson.

Fe ges i'r cwestiwn y bydd pob disgybl yn ei gael gan rai athrawon rywbryd neu'i gilydd, sef beth wyt ti am ei wneud ar ôl gadael ysgol? Roedd ateb parod iawn gen i i'r cwestiwn hwnnw: 'Dwi'n mynd i briodi dyn sydd yn byw yn Aber-craf.' Doedd dim un dyn penodol gen i mewn golwg. Nid dyna'r reswm dros yr ateb. Yn hytrach, roedd tynfa gref i fynd 'nôl i fyw i Gwm Tawe. Roeddwn am briodi a byw yn y Cwm, ac roeddwn i'n gwybod hynny yn fy arddegau cynnar.

4. Ennill a cholli

BOB PENWYTHNOS AWN LAN i'r Gwyn – y dafarn roedd Anti Rae yn ei chadw, ddim ymhell o Graig y Nos. Byddwn i'n gweithio yno drwy roi help llaw gyda'r bwyd a'r gweini ac ati. Ar bwys y dafarn roedd llecyn i bobol wersylla, ac roedd cadw trefn ar y maes pebyll yn rhan o fy nyletswydd hefyd. Wrth gwrs, roedd yr arian poced yn ddefnyddiol iawn a'r gwaith yn brofiad bywyd gwerthfawr.

Un diwrnod, fe ddaeth bachgen ifanc o'r enw Martin i'r dafarn ac ar ôl sgwrsio fe sylweddolon ni fod ei dad e a 'Nhad yn nabod ei gilydd yn dda. Fe ddechreuodd y ddau weithio ym mhwll glo Ynysgedwyn pan oedd y ddau yn 14 mlwydd oed. Daeth y ddau ohonon ni'n ffrindiau da yn syth. Roedd e'n credu 'mod i'n hŷn nag oeddwn i go iawn, a finnau'n meddwl ei fod e'n ifancach nag oedd e. Fe ddechreuon ni dreulio llawer o'n hamser gyda'n gilydd, ond yng nghwmni aelodau eraill o'n teuluoedd bob tro. O ganlyniad i gyfeillgarwch Martin a fi, fe fu'r ddau deulu'n cymdeithasu cryn dipyn â'i gilydd. Byddai e'n cael dod i'n tŷ ni a finnau'n cael mynd i'w gartre fe, a byddai'r ddau ohonon ni'n cael mynd i'r sinema gyda rhieni un ohonon ni.

Anghofia i fyth y diwrnod y newidiodd popeth

rhyngon ni'n dau. Roedd fy mhen-blwydd ar y gorwel a daeth e ata i a gofyn pa anrheg fyddwn i'n hoffi ei chael. Fe wnaeth e ychwanegu wedyn ei fod am brynu rhywbeth i fi am ei fod e'n ben-blwydd arbennig.

'Pen-blwydd arbennig? Be ti'n feddwl wrth hynny?' gofynnes iddo'n llawn syndod.

'Wel, ti'n gwybod,' medde fe, 'ti'n mynd i fod yn ddeunaw.'

Wel, allwn i ddim cuddio fy ymateb hyd yn oed petawn i wedi ceisio gwneud hynny. Bu'n rhaid i fi ddweud yn y diwedd mai cael fy mhen-blwydd yn bymtheg oed oeddwn i, nid deunaw. Wrth i'r sgwrs barhau, gallwn weld wrth yr olwg ryfeddaf ar wyneb Martin ei fod mewn sioc enfawr. Fe wnes i ddeall i fi gael ei oedran e'n anghywir hefyd. Roedd e'n dipyn hŷn nag oeddwn i wedi meddwl, gan ei fod yn ddau ddeg dau mlwydd oed. O diar! Dyna i chi sefyllfa anodd a rhyfedd. Doedd Martin ddim yn gallu dygymod â'r ffaith iddo ddod yn ffrindiau â rhywun pymtheg oed. Felly, daeth y cyfeillgarwch i ben, er nad oedd y berthynas wedi bod yn ddim byd mwy na hynny. Ar ôl i Mam a Dad ddeall beth oedd y gwahaniaeth oed, roedden nhw'n ddigon balch fod y berthynas wedi dod i ben, mae hynny'n sicr.

Ond roeddwn i'n methu'n lân ag anghofio

Martin. Ymhen rhai misoedd, roedd pethau yn ôl fel roedden nhw cyn i ni gael y sgwrs honno am oed. Roedden ni'n ffrindiau da unwaith eto. Wrth i'r berthynas ddatblygu, trodd y siarad at briodi, er bod y ddau ohonon ni'n gwbl sicr na fyddai ein rhieni'n fodlon i ni briodi, a finnau mor ifanc. Fe gawson ni sawl sgwrs ynglŷn â hyn yn ystod y cyfnod hwnnw, a'r ddau ohonon ni'n hollol bendant mai dyna beth roedden ni ei eisie. Eto i gyd, roedd gwrthwynebiad ein rhieni yn rhwystr yr oedd yn rhaid ei oresgyn. Ac yn y diwedd, fe lwyddon ni.

Felly, pan oeddwn i'n un deg chwech mlwydd oed, priododd Martin a fi. Roeddwn i wedi sefyll fy arholiadau Lefel O ychydig wythnosau cyn priodi, a chafodd Rhodri ei eni pan oeddwn i'n un deg saith mlwydd oed. Roeddwn i *wedi* priodi dyn o Aber-craf, ac wedi gwireddu'r hyn ddywedes i wrth yr athrawon yn yr ysgol. Cawson ni dŷ yn Nhan y Bryn, Ystradgynlais. Roedden ni 'nôl yn byw yng nghanol y teulu, mewn ardal lle roedd sawl modryb yn byw, yn ogystal â fy rhieni, fy nhad-cu a'm mam-gu.

Gweithio yn ffatri Tic Toc gyda Dad roedd Martin, ond roedd am newid ei waith. Fe ddechreuodd ddangos diddordeb mewn gweithio dan ddaear a chafodd sawl sgwrs gyda Dad ynglŷn â hynny. Anghofia i fyth eiriau Dad yn 1979: 'Cer dan ddaear, Martin, mae'n waith sydd â dyfodol. Bydd pobol wastad eisie glo, ma hynny'n sicr.' Trefnodd Dad gyfweliad iddo ym mhwll Aber-nant, a dyma'r cyfweliad a gafodd:

'Are you Melbourne Griffiths's son in law?'

'Yes.'

'Here's a specimen bottle. Go behind the curtains and fill it up.'

Fe wnaeth Martin fel y gofynnwyd iddo, a rhoi'r botel llawn yn ôl i'r un oedd yn ei gyfweld. Diolchodd e i Martin am y botel a gwneud arwydd iddo adael. Wrth i Martin wneud hynny, trodd yn ôl a gofyn i'r dyn,

''Scuse me. Is there anything else you want to know?'

'No, no. Start a week Monday.'

Aeth Martin allan, a dyna oedd ei gyfweliad. Mae'n dal i wneud i fi chwerthin heddiw wrth feddwl am y fath gyfweliad.

Daeth Martin yn löwr felly, ac erbyn hynny roedd Rowena wedi cyrraedd, a ninnau'n deulu o bedwar. Dwi'n gwybod i sicrwydd mai dim ond ychydig fisoedd oed oedd Rowena pan ddechreuodd Martin dan ddaear. Pam? Am iddo lwyddo i dorri ei bigwrn mewn damwain yn y pwll ar ôl gweithio yno am chwe wythnos. Ar ôl y ddamwain, doedd e ddim hyd yn oed yn gallu gwthio'r pram i unman.

A ninnau wedi byw mewn ardal lle roedd cymeriadau di-ri a straeon doniol yn gyffredin iawn, daeth cyfnod Martin dan ddaear â byd arall o straeon lliwgar i'n haelwyd ni. Dwi'n cofio Martin yn dweud bod un o'r bois wedi torri ei goes wrth chwarae rygbi ar bnawn Sadwrn. Yn lle mynd am driniaeth yn syth, fe benderfynodd aros tan fore Llun. Gwnaeth i'r bois eraill ei helpu i fynd i'r gwaith, a hefyd i fynd ag e dan ddaear. Pam? Y bwriad oedd dweud ei fod wedi torri ei goes mewn damwain yn y pwll glo. Galwodd ei ffrindiau ar y dyn First Aid, ac adrodd stori'r 'ddamwain' wrtho, stori a gafodd ei hailadrodd gan lowyr eraill wedyn.

Bu'n dipyn o job esbonio i'r dyn a roddodd y driniaeth iddo pam roedd y clwyf, oedd newydd ddigwydd yn ôl y glowyr, wedi dechrau gwella'n barod! Dyw hi ddim yn glir a lwyddodd y glöwr clwyfedig yn ei gais am iawndal oherwydd ei 'ddamwain' ai peidio.

Ar ddydd Gwener, y diwrnod pan fydden nhw'n cael eu talu, byddai maes parcio Abernant fel rhyw sêl cist car anferth. Byddai'r glowyr yn dod â nwyddau o bob math i'w gwerthu i'w gilydd. Dwi'n cofio Martin yn dod â phâr o sanau adre unwaith, a physgodyn aur dro arall. Roedd hon yn drefn ardderchog, ond fe ddwedes i'n bendant wrtho na fyddai e'n cael dod â byji na chaneri 'nôl gydag e. Roeddwn yn ddigon bodlon iddo ddod â ieir, neu hwyaid, neu ŵydd hyd yn oed, ond yn sicr ddim byji na chaneri!

Erbyn hynny, roedd Dad 'nôl dan ddaear hefyd. Roedd eisie newid o fyd y Tic Toc a byd cadw tafarn, ac fe benderfynodd fynd 'nôl i weithio dan ddaear. Dyna lle dechreuodd e weithio pan oedd yn ifanc iawn, gwaith pwysig yn ei farn ef yn yr ardal lle roedden ni'n byw. Pan oedd e yn yr RAF fe gafodd *malaria*, ac ar ôl dod adre byddai'n dal i gael cyfnodau o ddioddef o'r clefyd. Awgrymodd y doctor iddo unwaith y byddai gweithio yn yr awyr iach o gymorth i'w iechyd. Felly, fe drodd at waith y glo brig yn Aber-craf, ac ar ôl cyfnod yno aeth 'nôl i weithio dan ddaear. Mae gen i gof clir o Dad yn rhan o Streic y Glowyr yn 1972 ac 1979. Fe fues i gydag e ar y llinell biced fwy nag unwaith pan oeddwn i yn yr ysgol uwchradd. Falle fod ambell hedyn wedi cael ei blannu yndda i yn y dyddiau hynny, hyd yn oed.

Ond nid priodi, cael plant, na Dad a Martin yn newid gwaith oedd y newid mwyaf yn fy myd yn y saithdegau. Nid mynd ar linellau piced gyda Dad chwaith. Yn 1969 cafodd fy rhieni blentyn arall, a daeth fy chwaer Menna i'r byd. Mae'n un o'r pethau pwysig dwi'n eu cofio, am fod hynny wedi mynd â fi 'nôl i siarad Cymraeg unwaith

31

eto. Roedd Mam yn mynnu bod Ian a fi'n siarad Cymraeg gyda Menna, fel gyda phawb arall. Os byddai un o'r ddau ohonon ni'n digwydd troi at y Saesneg wrth siarad â hi yng nghwmni plant eraill, byddai Mam yn rhoi clipsen i ni a dweud wrthon ni am droi i siarad Cymraeg. Fe aeth y stori ar led wedyn fod Mattie yn pwno'i phlant am siarad Saesneg!

Ond daeth tro ar fyd yn 1974 pan fu farw Menna, wedi brwydr hir yn erbyn *leukaemia*. Roedd hynny tra oeddwn i'n dal yn yr ysgol, flwyddyn cyn i fi briodi a chael babi fy hunan. Fe ddechreuodd Menna deimlo'n anhwylus pan oedd hi tua dwyflwydd oed. Trodd yr ymweld cyson â'r doctor yn ymweld cyson â'r ysbyty er mwyn gweld beth oedd yn bod arni. Fel y gallwch chi ddychmygu, roedd yn gyfnod anodd iawn i ni fel teulu gan nad yw'n rhwydd gweld plentyn mor fach ac ifanc yn dioddef poen. Roedd yn anodd gwneud hynny heb wybod beth oedd yn bod arni ac yn dal yr un mor anodd ar ôl cael gwybod y rheswm am ei salwch.

Doedd ein bywyd ni gartre ddim yn gwneud pethau'n hawdd, chwaith. Gan fod Dad yn gweithio shifft nos, byddai'n dod adre yn gynnar yn y bore. Tua'r un pryd, byddai Mam yn mynd yn ôl i'r ysbyty i fod gyda Menna, a byddai'r ddau yn amal yn pasio'i gilydd ar stepen y drws. Roedd y ffaith bod y ddau allan o'r tŷ am gyfnodau mor hir wedi cael effaith ar y ffordd roedd Ian a fi'n ymwneud â'n gilydd. Mae llai na dwy flynedd rhyngon ni. Ond fi fyddai'n gorfod gwneud yn siŵr ei fod yn bwyta ei brydau bwyd, gwneud yn siŵr ei fod yn mynd i'r ysgol a gwneud ei waith ysgol yn iawn ac ati. Fe dyfodd ein perthynas i fod yn debycach i berthynas mam a mab, yn hytrach na pherthynas brawd a chwaer. Byddwn i'n delio â phob sefyllfa fyddai'n codi yn y tŷ o ddydd i ddydd heb ddangos i Mam na Dad ei bod wedi digwydd. Pan fyddai Ian yn rhwygo'i drowsus ysgol, byddwn i'n ei drwsio heb ddangos i Mam bod rhwyg yno yn y lle cyntaf.

Pan fyddai Ian yn gofyn cwestiwn am ryw bwnc arbennig, fi fyddai'n mynd i chwilio am yr atebion mewn llyfrau yn y tŷ. Dwi'n cofio i'r gair 'soufflé' godi mewn rhyw sgwrs ar raglen deledu. Doedd gan yr un o'r ddau ohonon ni syniad beth oedd 'soufflé', felly, bant â fi at y llyfrau coginio yn y gegin a dod o hyd i'r ateb. Wedi deall beth oedd e, es ati i wneud un. Wel, doedd neb yno i ddweud wrtha i am beidio gwneud un. Ymhen ychydig wedyn, dyma'r gair yn codi mewn sgwrs eto, a Mam gyda ni'r tro hwnnw. Doedd hi ddim yn gwybod beth oedd 'soufflé' chwaith ac felly dyma fi'n esbonio iddi, a hithau wedi rhyfeddu 'mod i'n gwybod yr ateb. Roedd wedi rhyfeddu fwy fyth pan ddwedes 'mod i wedi coginio un yn y tŷ rai wythnosau ynghynt. Cyfnod fel 'na oedd e, ond fe ddysges i gryn dipyn sut i fod yn annibynnol.

Doeddwn i ddim eisie i bethau bach bob dydd fod yn faich ychwanegol ar Mam. Roeddwn i'n deall ei bod hi'n anodd ar y teulu gan fod Menna yn yr ysbyty a bod angen bwrw ati i gadw ein bywydau mor normal ag y gallen ni. Byddai hynny'n rhyddhau Mam i roi cymaint o sylw ag roedd ei angen ar Menna.

Roeddwn i'n gwybod bod Menna yn dost, wrth gwrs. Ond doeddwn i ddim yn gwybod ei bod hi'n marw gan fod ffrind ysgol i fi wedi dioddef o *leukaemia* ac wedi gwella'n iawn. I fi, felly, dyna oedd yn digwydd yn naturiol ym mhob achos. Yn anffodus, doedd yr un o'r teulu yn addas ar gyfer trawsblannu mêr ein hesgyrn (*bone marrow*) iddi. Mae doctoriaid dwi'n cwrdd â nhw heddi, ac sy'n gweithio yn y maes, yn dweud y byddai Menna wedi cael triniaeth am ei *leukaemia* y dyddiau 'ma, ac y gallai hi fod wedi'i goncro a chael byw. Ond, yn anffodus i'n teulu ni, doedd y fath driniaeth ddim ar gael yn y saithdegau.

Roedd colli Menna yn ergyd aruthrol i Mam a Dad, ac fe siglodd fyd y ddau ohonyn nhw i'r gwraidd. Nid yn unig y collon nhw blentyn, a hithau'n ddim ond pum mlwydd oed, ond fe welon nhw'r plentyn hwnnw'n dioddef dros gyfnod hir o amser. Diolch i'r drefn i blentyn newydd ddod i'w byd pan gafodd fy Rhodri i ei eni ryw flwyddyn a hanner ar ôl colli Menna. Wnaeth hynny ddim llenwi'r bwlch, wrth gwrs, ond rhoddodd e ffocws a gobaith newydd iddyn nhw yng nghanol eu colled. Dwi'n gweld eisie fy chwaer fach o hyd. Dwi'n gallu gweld darlun ohoni yn fy mhen yn amal, yn sefyll ar ben y grisiau yn nhŷ Mam a Dad. Roedd deng mlynedd rhyngon ni, ac felly roeddwn i'n ail fam iddi hi hefyd, mewn ffordd.

5. Llinell biced

WRTH I'R SAITHDEGAU DROI'N wythdegau, roedd bywyd wedi ymsefydlu i ni fel teulu. Roedden ni'n deulu o bedwar yn byw yng Nghwm Tawe Uchaf, finnau'n wraig i löwr ac yn fam ifanc. Roedd troeon trwstan a holl newidiadau'r saithdegau y tu ôl i ni a'r unig beth ar ein meddyliau oedd ein bywydau ni ein hunain fel teulu. Rhoddai Martin a fi ein holl sylw i godi ein plant yn yr un cymunedau a gyda'r un gwerthoedd ag roedd y ddau ohonon ni wedi cael ein codi ynddyn nhw. Bywyd yr ysgol, bywyd y capel, bywyd y teulu, bywyd y gymuned – dyna oedd ein bywydau ni wrth i 1984 wawrio.

O fewn cwpwl o fisoedd, fodd bynnag, fe newidiodd ein bywydau am byth. Doedden ni ddim yn gwybod hynny ar y pryd, ond dyna'r flwyddyn pan fyddai ein cymunedau, ein diwydiant a 'mywyd i'n bersonol yn newid yn gyfan gwbl. Dyma ddechrau taith anhygoel, taith boenus, hir, ac un yn llawn gwrthdaro.

Mae'r union reswm pam roedd glowyr de Cymru wedi penderfynu mynd ar streic ym mis Mawrth 1984 yn rhy gymhleth i'w nodi fan hyn. Ond yn syml, roedd y glowyr am frwydro i gadw eu diwydiant, ac i gadw'r pyllau ar agor. Wrth wneud hynny, bydden nhw'n diogelu ein traddodiadau a ffordd o fyw oedd wedi bod yn rhan o fywyd ein cymunedau ers cenedlaethau. Fe ddaeth yn gwbl glir fod pawb oedd yn rhan o faes glo de Cymru yn barod i fynd ar streic gyda'i gilydd. Ennill neu golli, byddai'n rhaid sefyll gyda'n gilydd a chefnogi ein gilydd drwy'r frwydr. Fe fuodd hon yn frwydr aruthrol, brwydr na fyddwn ni'n gweld ei thebyg byth eto.

Er mwyn deall y frwydr yn iawn, mae angen deall y berthynas rhwng y gymuned ac Undeb y Glowyr. Dwi'n credu'n gryf na fyddai unrhyw undeb arall wedi gallu cynnal streic dros gyfnod mor hir. Tyfodd yr undod o ganlyniad i'r ffaith fod y glowyr yn gweithio mor agos gyda'i gilydd dan ddaear. Gan fod gweithio mewn pwll glo yn waith peryglus, roedd yn rhaid iddyn nhw ddibynnu ar ei gilydd. Roedd y ffaith fod pentrefi cyfan ar hyd a lled cymoedd y de yn bodoli oherwydd bod pwll glo wedi agor yno yn tynnu'r bobol at ei gilydd yn eu bywydau bob dydd hefyd. Dyna'r cefndir i'r ffaith fod yr Undeb wedi dod i ddiogelu'r glöwr.

Nawr, a ninnau'n wynebu streic, roedd angen tynnu at ein gilydd. Doedd dim opsiwn ond ymladd. Ar hyd y blynyddoedd, roedd yr Undeb wedi bod yno i gynnig cefnogaeth, cyngor ac arweiniad i'w haelodau. Roedd gwir angen hynny wrth wynebu'r streic hon.

Daeth yn amlwg yn gynnar yn y streic y byddai angen rhoi trefn bendant ar y gefnogaeth. Cafodd rhwydwaith o grwpiau cefnogi eu sefydlu, a'r rheini'n cynnig bwyd a help ymarferol i lowyr ar streic a'u teuluoedd. Roedd Martin a fi'n byw yn eithaf pell o waith glo Aber-nant, lle roedd Martin yn gweithio. Felly, fe benderfynon ni ymuno â Grŵp Cefnogi Cymoedd Dulais, Nedd a Thawe. Roedd tref Castell-nedd yn rhan o'n grŵp ni, fel roedd Ystradgynlais a nifer fawr o bentrefi bach fel Pen-y-cae ac Aber-craf. Roedd naw canolfan yn cael eu cynnal gan ein grŵp ni – tair canolfan ym mhob un o'r tri chwm.

Roedd y rheolau'n rhai syml iawn. Byddai'r arian a gâi ei godi drwy ddulliau codi arian amrywiol yn cael ei roi mewn cronfa ganolog. Byddai pob glöwr wedyn yn derbyn yr un faint o arian o'r gronfa honno. Byddai'r grŵp yn cyfarfod bob wythnos, a byddai gan bob unigolyn a fyddai'n dod i'r grŵp yr hawl i bleidleisio ar waith y grŵp. Roedd hyn yn wir am bawb, waeth beth oedd cefndir y person. Doedd dim ots a fyddai'r person yn aelod o'r Undeb ai peidio. Os byddai'n dod i gyfarfod er mwyn cefnogi'r streic, byddai'n cael yr hawl i bleidleisio. Roedd hwn yn benderfyniad pwysig iawn i ni, fenywod, gan ein bod ni felly'n gallu bod yn rhan weithgar o'r grŵp cefnogi. Yn y gorffennol, gweithio'n dawel yn y cefndir fyddai rôl y menywod, ond nawr roedd gobaith o gael gweithio ochr yn ochr â'r dynion. Newid syfrdanol, felly.

Fe wnes i lawer o'r pethau arferol yn ystod y streic er mwyn codi arian. Dwi ddim yn gwybod faint o blanhigion wnes i eu gwerthu o ddrws i ddrws. Byddwn i hefyd yn teithio o gwmpas yr ardal yn casglu bwyd a dillad, a gâi eu dosbarthu i deuluoedd y glowyr oedd ar streic a chael eu gwerthu i godi arian. Bydden ni hefyd yn casglu teganau i'w rhoi i blant y glowyr yn yr un modd. Wrth gasglu'r pethau hyn, wrth deithio ar hyd yr ardal ac wrth fynd i Neuadd Les Aber-craf bron bob dydd, cawn gyfle i sgwrsio. Byddwn yn cwrdd ag amrywiaeth o bobol a chawn gyfle i drafod pob agwedd ar y streic.

Roedd hyn hefyd yn rhan bwysig o waith y grŵp. Câi pawb gyfle i glywed beth fyddai'n digwydd, sut roedd pawb yn teimlo ynglŷn â'r streic a beth oedd eu barn ar ba bwnc bynnag fyddai'n codi. Cawn hefyd gyfle i glywed am sefyllfa bersonol y rhai oedd ar streic a deall go iawn pa mor anodd oedd hi arnyn nhw heb dderbyn cyflog. Byddwn i'n clywed beth oedd yn eu becso a pha mor chwerw roedden nhw'n teimlo tuag at y llywodraeth am fygwth cau'r pyllau.

Roedd yn waith cymunedol cwbl allweddol, ond hefyd roeddwn i'n bersonol wrth fy modd yn cael trafod a sgwrsio. Cawn gyfle i drafod gwleidyddiaeth mewn modd byw iawn. Wrth iddi ddod yn amlwg na fyddai'r streic yn dod i ben yn gyflym iawn, cafodd Martin a fi sgwrs i drafod a holi ein gilydd sut y dylen ni ymateb i hynny. Roedd y ddau ohonon ni'n bendant y byddai'n rhaid i ni fod yn fwy gweithgar. Roedd angen gwneud mwy dros y streicwyr. Er, dwi ddim yn siŵr a oedd ein teuluoedd yn hapus wrth glywed ein bod ni'n bwriadu gwneud mwy dros y streic.

Ond dyna oedd yn mynd i ddigwydd. Roeddwn i'n becso'n fawr iawn am yr hyn fyddai'n digwydd i'r ardal petai'r pyllau yn cau, yr ardal lle cawson ni ein magu a'r lle roedden ni'n nawr yn magu ein plant. O ganlyniad i'r ffaith i ni benderfynu gwneud mwy, cynyddodd fy ngwaith yn y gymuned ac roedd Martin yn fwy gweithgar ar linellau piced pyllau glo amrywiol ar hyd de Cymru.

Un peth wnaeth galedu fy agwedd i o blaid y streic oedd rhywbeth ddywedodd Margaret Thatcher, y Prif Weinidog, a'r sbardun y tu ôl i'r cynlluniau i gau'r pyllau. Mewn araith, fe gyfeiriodd hi at y glowyr ar streic, a'u teuluoedd hefyd, fel 'the enemy within'. Fe wnaeth hynna fy ngwylltio i'n llwyr. Roeddwn i'n fwy penderfynol o frwydro wrth gael fy nisgrifio yn y fath fodd. Cafodd menywod drwy'r maes glo eu gwylltio, a daeth yn amlwg erbyn hyn mai'r menywod oedd asgwrn cefn y streic mewn gwirionedd. Ymroddiad a phenderfyniad y menywod oedd y rheswm pam roedd y cymunedau'n gallu sefyll mor gryf a chefnogi'r glowyr drwy bopeth.

Drwy fy nghysylltiad â menywod eraill oedd yn weithgar yn y streic, fe wnes i ddechrau mynd i Neuadd Les y Glowyr yn Onllwyn – neu'r Palas Diwylliant, fel mae'n cael ei alw. Dyma lle ces y cyfle i fod yn rhan o'r broses o greu cynlluniau i'w gweithredu yn ogystal â thrafod gwleidyddiaeth y streic. Cyn bo hir, trodd y trafodaethau hyn yn drafod gwleidyddol ehangach.

Pam roedd hwn yn gam mor bwysig? Mae'r ateb yn syml. Am y tro cyntaf erioed, y tu allan i gylch fy nheulu, roedd fy marn bersonol i'n golygu rhywbeth i rywun arall. Doedd neb yn gwawdio nac yn wfftio barn y menywod bellach. Er, rhaid cofio ein bod yn trafod tactegau streic mewn diwydiant lle roedd dynion yn unig yn gweithio.

Cawn deimlad o ryddhad mawr wrth rannu barn a chynnig cyfraniad mewn pwyllgorau. Yn aml, ar brynhawn Sul ar ôl y cyfarfodydd hyn, byddwn i'n mynd adre at Martin, oedd wedi bod yn edrych ar ôl y plant, a rhannu popeth roedden ni wedi'u trafod yn y cyfarfod. Roedd hyn yn rhywbeth newydd yn ein perthynas ni hefyd. A byddai'r un sgyrsiau rhwng gŵr a gwraig yn digwydd mewn cartrefi ar hyd a lled de Cymru ar brynhawn dydd Sul. Roedden ni'n rhan o *scene* wleidyddol ehangach. Roedd ein haddysg wleidyddol yn parhau yn ein cartre ein hunain, tra byddai'r plant yn chwarae o'n cwmpas.

6. Balchder

RHAN BWYSIG O WAITH y grŵp cefnogi oedd rhoi gwahoddiad i unrhyw grŵp oedd wedi casglu arian ar ein rhan i ddod i aros gyda'n teuluoedd. Wrth wneud hynny, bydden nhw'n gallu gweld eu hunain lle byddai'r arian roedden nhw wedi'i godi yn cael ei wario. Ganol mis Medi 1984, fe gawson ni lythyr gan grŵp o Lundain oedd wedi casglu arian ar ein rhan. Enw'r grŵp oedd Lesbians and Gays Support the Miners (LGSM). Roedden nhw'n gefnogol iawn i achos y glowyr ac i'r achos yn ne Cymru yn benodol, ac yn deall yn hollol beth oedd yn digwydd i'n cymuned a'n diwydiant ni.

Wedi dweud hynny, dwi ddim yn credu, ar y dechrau, fod llawer o'r glowyr yn hollol siŵr sut roedd ymateb i'r gefnogaeth gan y grŵp yma. Roedd yr LGSM wedi cael cryn dipyn o wrthwynebiad gan rai meysydd glo y tu fas i Gymru, a rhaid cyfaddef i ni gael trafodaeth hir i benderfynu a ddylen ni dderbyn eu harian ai peidio. Yn y sylwadau o amgylch y ford roedd amrywiaeth barn mawr ac, wrth gwrs, roedd rhai sylwadau gwrywaidd dosbarth gweithiol ynglŷn â phobol hoyw i'w disgwyl. Roedd rhai hyd yn oed yn amau a oedd pobol yr ardal yn barod i weld dau ddyn yn dawnsio gyda'i gilydd yn un o ddisgos y Neuadd Les!

Roedd barn y menywod yn ddigon clir. Gan fod y bobol hyn wedi dewis ein cefnogi, rhaid oedd ei derbyn yr arian. Doedd dim tamed o wahaniaeth pwy oedd wedi codi'r arian ar ein rhan. Ar ôl pwysleisio y byddai'n gwbl anghwrtais i wrthod eu harian, fe wnaethon ni gytuno i'w dderbyn. Er mwyn deall eu sefyllfa'n well aeth rhai o'n plith i Lundain i gwrdd â rhai o grŵp yr LGSM. Y cam nesaf oedd gwahodd rhai o'u grŵp nhw i'n hardal ni, i aros yn ein cartrefi, a gweld y frwydr yn erbyn Maggie Thatcher drostyn nhw eu hunain.

Fuodd hi ddim yn broblem dod o hyd i ddigon o lety i aelodau'r LGSM oedd am ddod aton ni. Yn wir, fe gawson ni le i bob un ohonyn nhw'n ddigon didrafferth. Cytunodd Martin a fi i dderbyn dau berson hoyw i'n cartre ni. Yn wir, erbyn hynny roedd mwy o'n plith ni'n becso y byddai eu hymwelwyr yn llysieuwyr ac y bydden nhw'n gorfod paratoi prydau o fwyd heb gig. Awgrymodd Martin y dylen nhw gael ffa pob, madarch ac omlet wrth law, fel pryd a fyddai'n dderbyniol i lysieuwyr ac yn ddigon rhad i'r streicwyr ei baratoi. Fel roedd hi'n digwydd, fuodd dim angen paratoi bwyd llysieuol. Un o ogledd Lloegr oedd un dyn hoyw a ddaeth aton ni i aros, ac felly roedd e'n deall brwydr y dosbarth gweithiol. Roedd e'n deall hefyd beth oedd bod yn rhan o leiafrif. Y penwythnos cyntaf hwnnw, pan ddaeth ymwelwyr yr LGSM aton ni i'r tri chwm, oedd un o'r profiadau gorau ges i yn ystod y streic. Fe gawson ni amser anhygoel. A do, fe wnaethon ni weld dau ddyn yn dawnsio gyda'i gilydd yn y neuadd. Ond ein hagwedd ni, ferched, oedd ein bod ni wedi gweld menywod yn dawnsio gyda'i gilydd am flynyddoedd, tra oedd eu gwŷr *macho* yn pwyso ar y bar! Felly, beth oedd yn wahanol? Dim, a dweud y gwir.

Fe aeth y berthynas rhwng Grŵp Cefnogi Cymoedd Dulais, Nedd a Thawe a grŵp yr LGSM o nerth i nerth. Dechreuodd sawl cyfeillgarwch yn y dyddiau hynny sydd yn dal yn gryf hyd heddi. Yn anffodus, dros y blynyddoedd, fe gollon ni sawl ffrind hefyd, o ganlyniad i glefyd HIV. Cafodd colli dau o'r rhai hynny yn benodol effaith fawr ar bawb yn ein teulu ni. Fe ddaethon ni'n agos iawn at Mark Ashton a Derek Hughes. Yn wir, daethon nhw'n rhan o'n teulu ni. Teimlodd Martin, Rhodri a Rowena eu colli'n fawr, fel y gwnes i, wrth gwrs.

O'r gwreiddiau dwfn yma daeth y penderfyniad i gefnogi'r ffilm *Pride*, sydd wedi cael ei rhyddhau yn ystod y misoedd diwethaf. Mae'r ffilm yn cyfleu'r modd y gwnaeth y gymuned hoyw a lesbiaidd gefnogi'r glowyr drwy'r streic. Mae'n defnyddio'r cysylltiadau rhwng ein grŵp cefnogi ni yn Dulais, Nedd a Thawe a'r LGSM. Mae'n dangos sut y daeth y ddwy ochr i gysylltiad yn y lle cyntaf a sut y tyfodd y berthynas rhwng dwy garfan oedd mor hollol wahanol i'w gilydd ar un olwg – y glowyr a phobol hoyw. Mae'r ffilm yn boblogaidd iawn, yn dipyn o *hit* a dweud y gwir. Pwy fyddai'n meddwl?

Profiad od iawn i fi oedd gweld actores yn chwarae fy rhan i yn y ffilm. Roedd eistedd yn y sinema a gweld rhywun arall yn cael ei galw yn Siân James yn brofiad rhyfedd ac yn rhywbeth cwbl newydd i fi. Mae Jessica Gunning wedi gwneud jobyn da iawn o chwarae 'fi', mae'n rhaid dweud!

Daeth ysbryd y streic drosodd yn gryf iawn yn y ffilm, ac ysbryd y menywod yn arbennig o glir. Ac mae'r ffordd roedd y glowyr a'r gymuned hoyw wedi cyd-dynnu, er y gwahaniaethau oedd yn ymddangos rhyngddyn nhw, yn dod drosodd yn arbennig o dda ar y sgrin fawr. Fe wnaeth y ddau grŵp anghofio'r hyn oedd yn wahanol rhyngddyn nhw er mwyn brwydro dros yr un math o egwyddorion. Daeth yn amlwg fod gan y ddwy gymuned wahanol fwy yn gyffredin nag y byddai'r un ochr yn ei gredu cyn y streic.

Fe wnaeth gweld y ffilm roi darlun clir i ni o'r

rhan roedd y streic wedi'i chwarae ym mrwydr y gymuned hoyw i gael ei derbyn gan gymdeithas. Does dim amheuaeth na fuodd cefnogaeth y glowyr o help i'r LGSM ac yn gyfraniad pwysig tuag at sicrhau cydraddoldeb i bobol hoyw. Fe wnaethon ni gyfrannu tuag at newid barn ac agwedd pobol tuag at bobol hoyw, yn bendant. Roedd y ffaith i'r glowyr a'r bobol hoyw ddod at ei gilydd mewn partneriaeth mor amlwg yn sicr yn torri tir newydd. Dyw pob rhwystr ddim wedi cael ei chwalu wrth gwrs. Ond mae bywyd person hoyw heddiw yn dra gwahanol i fywyd person hoyw 'nôl yn nyddiau'r streic.

Yr LGSM oedd un o gefnogwyr mwyaf cyson ein grŵp cefnogi ni. Fe wnaethon nhw gyfrannu bob wythnos o'r diwrnod hwnnw pan wnaethon ni dderbyn eu cefnogaeth gyntaf. Mae hynny'n anhygoel, a dweud y gwir, yn enwedig o feddwl pa mor gryf oedd teimladau yn erbyn hoywon ar y pryd. Byddai'r wasg *tabloid* yn gwneud pethau'n waeth iddyn nhw hefyd, yn enwedig wrth gorddi hysteria yn erbyn AIDS. Byddai stori ar ôl stori'n ymddangos am y 'pla hoyw', fel rodden nhw'n galw AIDS, ac yn annog pawb i fod yn amheus o unrhyw berson hoyw oherwydd y clefyd. Yn y pen draw, roedd hyn yn annog pobol i amau pawb fyddai'n cael eu hystyried yn 'wahanol'. Fe wnaeth ein grŵp cefnogi ni chwarae rhan bwysig yn chwalu rhagfarnau fel y rhain.

Nid gweithgarwch ymhlith y gymuned hoyw oedd yr unig weithgarwch newydd i fi fod yn rhan ohono yn ystod y streic. Cymerodd menywod ran flaenllaw yn y streic, ond nid yn ein hardal ni yn unig, er efallai ei fod yn fwy amlwg yn ne Cymru nag mewn sawl man arall. Gan fod grwpiau menywod wedi dechrau mewn sawl ardal drwy Brydain, fe ddes innau'n rhan o fudiad menywod y tu allan i'm hardal hefyd. Nid yn unig roeddwn i'n casglu o ddrws i ddrws neu'n sefyll ar y llinell biced gyda'r glowyr, ond byddwn i'n siarad mewn cyfarfodydd o grwpiau menywod ar hyd a lled Cymru a Lloegr.

Fe ddes i'n weithgar iawn gyda'r South Wales Women's Support Group a'r grŵp Prydeinig, Women Against Pit Closures. Pan na fyddwn i'n siarad yn eu cyfarfodydd, byddwn yn mynd yno a gwrando ar eraill yn siarad. Daeth yn amlwg iawn fod nifer fawr o bobol yn gryf yn erbyn y llywodraeth ac yn gryf o blaid cadw ein cymunedau yn ardaloedd y pyllau glo. Yn y pen draw, fe ddes i'n Gadeirydd Grŵp Cefnogi Menywod De Cymru. Doedd dim un anrhydedd y gallwn ei chael fyddai'n uwch na hynny.

Am y tro cyntaf yn fy mywyd, cawn y cyfle i gyfarfod â menywod o gymunedau pyllau glo eraill. Cyn y streic, byddwn i'n cadw at fy milltir sgwâr, ac mae fy magwraeth i'n darlunio hynny. Cwm Tawe Uchaf oedd fy myd, ac ambell bentre unigol oddi mewn i'r ardal honno'n benodol. Daeth yr un undod rhwng menywod â'r hyn oedd yn bodoli'n barod rhwng y glowyr. Cyn hir, byddwn i'n cyfarfod â menywod oedd yn weithgar mewn meysydd eraill, nad oedd yn ymwneud â'r maes glo – Menywod Comin Greenham er enghraifft.

Protest arall oedd honno a gafodd ei chreu gan fenywod o dde Cymru. Ym mis Medi 1981 fe aeth grŵp o fenywod o'r de i RAF Greenham Common. Roedden nhw'n aelodau o'r grŵp Women for Life on Earth. Roedden nhw am brotestio yn erbyn y ffaith fod arfau niwclear yn cael eu cadw yn safle'r RAF yn Greenham, ger Newbury. Dros y blynyddoedd, tyfodd y brotest yma'n un aruthrol o bwerus. Fe fuodd protest fawr yno ym mis Ebrill 1983 pan ddaeth dros 70,000 o bobol at ei gilydd o bob ardal drwy Brydain ac o Ewrop hefyd. Fe gydion nhw yn nwylo ei gilydd er mwyn ffurfio cadwyn o amgylch gwersyll yr RAF.

Yna, wythnos neu ddwy ar ôl i Streic y Glowyr ddechrau, bu protest arall yno. Cafodd y menywod eu taflu oddi ar y safle gan yr heddlu. Ym myd menywod roedd rhywbeth mawr yn

49

digwydd wrth i ni ddarganfod ein llais a'n gallu i brotestio. Roedd hwn yn gyfnod cyffrous iawn wrth i fenywod osod eu hunain ar flaen y gad yn y brwydrau hynny. Roeddwn i ar y llinell biced y tu allan i rai o byllau glo mwyaf milwriaethus Cymru a Lloegr. Roeddwn ar flaen y gad – yn gorfforol ac yn feddyliol.

Roedd cefnogwyr y streic, a'r rhai o'r tu allan hyd yn oed, wedi dod i sylweddoli mai'r menywod oedd yn dod i ben â'r gwaith bob dydd o sicrhau bod y teulu yn gallu ymdopi heb dderbyn unrhyw gyflog. Fe ddaethon nhw i weld yn ddigon clou hefyd fod y menywod yn sefyll ysgwydd wrth ysgwydd gyda'r dynion yn y frwydr wleidyddol.

Byddai'n rhaid cymryd lle'r dynion yn amal iawn, fel y bu'n rhaid i fi sefyll ar linell biced am fod Martin wedi cael ei wahardd rhag gwneud hynny. Daeth cyfnod wedyn pan fyddai gofyn i fi siarad mewn cyfarfodydd yn lle rhai o arweinwyr Undeb y Glowyr oedd yn methu bod mewn dau le yr un pryd.

Yn sicr, fe aeth hynny â fi ymhell o'm milltir sgwâr. Fe es i i Swydd Stafford, Efrog, Durham a Nottingham, a rhannu llwyfan gyda rhai o enwau mawr y streic, gan gynnwys arweinydd Undeb y Glowyr a phrif elyn Maggie Thatcher, sef Arthur Scargill. Fe dreulies i gryn dipyn o amser yn gwrando a gwylio pobol fel Arthur Scargill, Derek Robinson (Red Robbo), Dennis Skinner a Derek Hatton yn areithio. Roeddwn i am ddysgu wrth eu gweld nhw wrthi'n annerch cynulleidfa. Fe elwes i lawer wrth wneud hynny.

Y tu allan i Gwm Tawe, sylweddoles i mai yr un oedd y frwydr dros Brydain gyfan. Ond eto, fe weles i nad oedd cymunedau glofaol mewn ardaloedd eraill yr un peth â'r gymuned lofaol yn ne Cymru. Fe wnes i sylweddoli bod llawer o'r glowyr, y rhan fwyaf weithiau, mewn meysydd eraill wedi symud yno i weithio. Doedden nhw ddim wedi cael eu geni a'u magu yn llwch y glo fel y glowyr roeddwn i'n eu nabod. Doedden nhw ddim yn deall y frwydr roedden nhw'n rhan ohoni, yn wahanol i lowyr Cwm Tawe. Roedden nhw'n dal i frwydro wrth gwrs, ond brwydro dros eu swyddi roedden nhw. Doedd yr un curiad calon ddim ganddyn nhw o'u cymharu â glowyr ein hardal ni. Doedd parhad y gymuned a ffordd o fyw ardal ddim mor bwysig iddyn nhw.

Siarades i'n gyhoeddus mewn sawl cyfarfod ac ymweld â nifer o grwpiau a sefydliadau amrywiol, nifer fawr ohonyn nhw yn Llundain. Roedd ardal Brixton, er enghraifft, yn weithgar iawn yn codi arian i gefnogi glowyr de Cymru. Fe fues i'n siarad mewn cyfarfodydd mewn prifysgol, mewn ffatri fechan yn Brick Lane, mewn bar yn llawn o bobol groenddu, stafell ddosbarth yn llawn athrawon yn Wood Green, a grŵp o weithwyr cymunedol yn Broadwater Farm. Dyna flas i chi o ble bues i'n siarad, ac mae llawer mwy o enghreifftiau na hynny, wrth gwrs. Fyddwn i ddim wedi breuddwydio ymweld â'r rhain o gwbl, mwy nag y meddylies i y byddwn yn ymwneud â grwpiau o bobol hoyw.

Diolch byth am gyfeillion mewn mannau, ac mewn grwpiau, fel yna. Dyw hi ddim yn rhwydd i'r lleiafrif sefyll yn gadarn yn erbyn y mwyafrif. Roedd cael help pobol fel y rhain yn gymorth aruthrol wrth i ni drio sefyll a herio'r llywodraeth oherwydd bod ein cymunedau ni o dan fygythiad.

7. Y sianel

Gan fod menywod yn dod yn fwyfwy amlwg ym mrwydr y streic, roedd mwy a mwy o'r cyfryngau am wybod amdanon ni. Bydden nhw'n troi ata i er mwyn gwneud cyfweliadau yn amlach ac yn amlach. Roedden nhw am wybod sut roedd y menywod cyffredin yn llwyddo i wneud pethau y tu hwnt i'r cyffredin. Falle fod 'na agwedd oedd damed bach yn nawddoglyd y tu ôl i'w diddordeb yn yr hyn roedden ni'n ei wneud, rhyw agwedd debyg i 'edrychwch ar y menywod 'ma yn gwneud eu gorau, chwarae teg iddyn nhw'.

Ond roedd yn rhaid troi agwedd fel yna a'i defnyddio at ein pwrpas ni. Byddai eistedd o flaen y teledu a gweld sut roedd y cwmnïau teledu yn adrodd stori'r streic yn torri 'nghalon i fel arfer. Y cyfan roeddwn i'n ei weld oedd grwpiau o lowyr yn ymladd yn erbyn yr heddlu a menywod milwriaethus yn cega ar y llinell biced. Roedd hynny'n digwydd wrth gwrs, ond roedd llawer mwy o bethau positif yn digwydd.

Felly, fe wnaethon ni, fenywod, gymryd y cyfle i ddefnyddio'r cyfryngau er mwyn dangos a darlunio bywyd go iawn yn ystod y streic. Roeddwn i am ddangos bod yn rhaid i ni weithredu mewn ffordd nad oedden ni wedi'i gwneud cyn hynny. Ein nod oedd dangos mor ynfyd oedd ein bod ni'n byw mewn cymdeithas oedd yn awgrymu ei bod yn derbyn trachwant, ond bod gweithredu fel grŵp dros yr hyn rydych chi'n ei gredu yn anghywir.

Dwi wastad wedi bod mor falch fy mod i'n Gymraes sy'n gallu siarad yr iaith, ac roeddwn yn arbennig o falch o hynny yn ystod y streic. Rhyw ddwy flynedd cyn i'r streic ddechrau cafodd S4C ei sefydlu. O'r diwedd, roedd cyfle i'r rhai oedd yn gallu siarad Cymraeg wylio rhaglenni teledu ar eu sianel eu hunain. Pan ddaeth y streic, trodd S4C yn gyfrwng amlwg yn y frwydr – heb yn wybod iddyn nhw, fwy na thebyg.

Trwy wneud cyfweliadau ar raglenni newyddion S4C, roedd cyfle i ni gyfrannu mewn rhaglenni nad oedden nhw'n amlwg yn erbyn y glowyr yn eu dull o adrodd straeon. Roedd nifer fawr iawn o'r gohebwyr, pobol y wasg, cynhyrchwyr ac ati yn dod o'r un ardaloedd ac o'r un cymoedd â ni. Roedd aelodau o'u teuluoedd yng nghanol y streic ac roedden nhw'n rhan o'r un dreftadaeth. Doedd dim un ffordd yn y byd y gallen nhw'n fwriadol fod yn gefnogol. Ond eto, roedd yna wahaniaeth aruthrol yn y ffordd roedd gohebwyr rhaglenni S4C yn trin straeon y streic o'i chymharu â'r ffordd roedd y straeon yn cael eu trin ar sianeli teledu eraill. Er nad oedden nhw'n dangos ffafriaeth, eto i gyd roedden nhw'n deall y streic ac roedden nhw'n deg.

Fe gymerodd sbel i ni ar y llinell biced ddeall bod modd i ni ymddiried yn rhaglenni newyddion S4C mewn ffordd nad oedd yn bosib ei gwneud gyda phobol y wasg a gohebwyr sianeli eraill. Roedd rhywbeth yn wahanol yn y ffordd roedd rhaglenni S4C yn trin y stori. Roedd hynny'n golygu bod cyfle arbennig i ni, siaradwyr Cymraeg, gyfrannu cymaint â phosib. Roedd hyn wastad yn peri syndod mawr i'r rhai oedd yn rhan o'r streic mewn mannau eraill drwy Brydain. Byddai dynion a menywod yn dweud wrtha i'n gyson eu bod nhw'n synnu 'mod i'n cael ymddangos ar y teledu mor amal. Doedden nhw ddim yn cael yn agos yr un cyfle ag roeddwn i'n ei gael. Mae'n siŵr fod hynny hefyd wedi cyfrannu at y ffaith fod pobol Cymru yn deall yn well beth oedd yn digwydd yn ystod y streic.

Yn ein teulu a'n pentre ni, roeddech chi mor amlwg â phothell ar drwyn os nad oeddech chi'n siarad Cymraeg. Byddai pawb nad oedd yn siarad Cymraeg yn cael ei alw'n ddieithryn, a byddai pobol y pentre am wybod pam roedd e neu hi wedi dod yno i fyw. Dwi wedi dweud eisoes sut roedd Mam yn ymateb pan fyddwn i'n siarad Saesneg yn ei chlyw. Pan ddaeth y streic, newidiodd fy agwedd i at y Gymraeg hefyd. Wrth i fi gael y cyfle i wneud cyfweliadau yn y Gymraeg yn amlach, fe wnes i ddangos llawer mwy o ddiddordeb mewn cael mwy o wybodaeth am yr iaith. Roeddwn i am ddeall o ble daeth yr iaith, am wybod mwy am yr hyn oedd yn digwydd yn y byd Cymraeg a hefyd am y bobol oedd yn siarad Cymraeg mewn ardaloedd y tu allan i fy ardal i. Fe wnaeth hynny arwain at newid gyrfa go iawn pan ddaeth y streic i ben.

Wedi misoedd o frwydro hir yn ymwneud â'r streic fe ddaeth hi'n amser Nadolig, ac un gwahanol iawn oedd Nadolig 1984. Wrth iddo agosáu, trodd ymdrechion y grŵp cefnogi i feddwl sut y gallen ni roi Nadolig da i'n plant, a hynny pan nad oedd arian yn cyrraedd y cartrefi. Unwaith eto, fe gawson ni gefnogaeth gan eraill, ac roedd hyn mor bwysig i ni. Roedd ffermwyr Sir Benfro, er enghraifft, wedi bod yn hael iawn yn rhoi digonedd o fwyd i ni. Roedd gweithwyr oedd yn perthyn i'r undebau argraffu wedi'n helpu drwy argraffu cardiau. Roedd ein noddwyr cyson a ffyddlon wedi cyfrannu arian fel y gallen ni brynu anrhegion, ac fe gawson ni deganau gan bobol o bob man.

Oedd, roedd hi'n Nadolig gwahanol iawn y

flwyddyn honno. Ond fe wnaethon ni i gyd ein gorau glas i wneud yn siŵr fod y plant yn cael amser da. Ac fe wnaethon nhw, gan i ni drefnu sawl parti Nadolig ar hyd a lled y tri chwm a pharti ym mhob un o'r naw canolfan dosbarthu bwyd. Trefnodd yr LGSM ddigwyddiad codi arian arbennig iawn o dan yr enw trawiadol Pits and Perverts Ball – noson o gerddoriaeth a dawnsio anhygoel. Sêr y noson oedd y canwr Jimmy Somerville a'i fand Bronski Beat – enwau mawr yn y cyfnod hwnnw. Roedd hyn yn dangos pa mor eang oedd y gefnogaeth i ni, a bod enwau mawr y byd pop fel Bronski Beat yn fodlon dod i gynnal cyngerdd i godi arian ar ein rhan. Fe godon nhw dros £5,000 y noson honno. Fe wnaethon ni rannu'r arian ymhlith aelodau'n grŵp cefnogi ni a hefyd ymhlith grwpiau cefnogi eraill nad oedd wedi llwyddo i godi cymaint o arian y Nadolig hwnnw.

Roedd Siôn Corn yn bresennol ym mhob un o'n partïon ni wrth gwrs. Yn ein parti lleol ni, yn Aber-craf, roedd y cynghorydd lleol wedi gwirfoddoli i fod yn Santa. Fe wnaeth hyn greu cryn benbleth i Rhodri'r mab a'i ffrind gorau. Doedden nhw ddim yn deall pam roedd Siôn Corn yn gwisgo sgidiau'r cynghorydd. Roedd e wedi gorfod newid ar frys, ac wedi anghofio gwisgo welingtons Siôn Corn am ei draed. Roedd y ddau grwt wyth mlwydd oed yn ddigon craff i sylwi ar hyn. Fe aethon nhw i'r gwely'r noson honno wedi'u drysu'n llwyr. Ond roedd ysbryd arbennig i'r Nadolig y flwyddyn honno – ysbryd hapus, llawn gobaith, ysbryd cymunedol dwfn ac ysbryd teuluol pendant.

Daeth 1985 wedyn wrth gwrs. Roedd y streic yn dal yn gryf yn ne Cymru, er bod rhai wedi dewis torri'r streic a mynd 'nôl i'r gwaith ym mis Tachwedd. Lleiafrif oedd y rhai ddewisodd fynd 'nôl i'r pwll glo. Mewn ambell ardal, dim ond un neu ddau oedd y rhai hyn. Ein protest ni yn erbyn y dynion hynny wedyn oedd picedu'r pyllau er mwyn rhwystro'r heddlu rhag mynd â'r dynion yma yn ôl i'w gwaith. Fe aeth sawl protest o'r fath yn ddigon hyll ar brydiau. Fe fuodd gwrthdaro ffyrnig mewn sawl pwll rhwng y picedwyr a'r rhai oedd wedi dewis mynd 'nôl.

Roedd gweld un neu ddau yn cael eu harwain gan yr heddlu i'r pwll glo a heibio'r llinell biced yn dorcalonnus. Sut gallai dynion fel hyn ddewis mynd 'nôl i'w gwaith a thorri'r streic? Sut gallen nhw groesi'r llinell biced? Sut gallen nhw roi'r gorau i'r frwydr dros ddyfodol eu pyllau nhw eu hunain? Dyna'r math o gwestiynau oedd yn creu penbleth, dryswch a loes i ni oedd yn dal i frwydro. Fe wnaeth yr heddlu lawer o arian drwy gael gwaith ychwanegol ac ennill llawer mwy o gyflog. Roedd nifer ohonyn nhw'n ddigon parod i atgoffa'r glowyr oedd yn dal ar streic eu bod yn cael yr arian ychwanegol hwn. Yn amal iawn bydden nhw'n gwneud hynny mewn ffordd ddigon haerllug a heriol.

Nid dim ond ar y llinell biced roeddwn i'n dangos fy mod yn gwrthwynebu'r rhai oedd am dorri'r streic. O na! Byddwn i'n mynd gydag eraill i'w gweld nhw yn eu cartrefi hefyd. Os nad oedden nhw am agor y drws i ni er mwyn rhesymu gyda ni'n deidi, bydden ni'n cynnal protest ar y lawnt neu ar y pafin y tu fas i'w tai. Os nad oedd lle yn y mannau hynny, byddai'r cymdogion fel arfer yn gadael i ni sefyll ar eu lawntiau – ac yn gadael i ni ddefnyddio'r tŷ bach hefyd pan fyddai angen!

Yn y protestiadau hyn byddai hen draddodiad y capel a'r eisteddfod yng Nghymru yn dod i'r amlwg yn gyson iawn. Nid sefyll yno a bloeddio sloganau yn unig fydden ni'n ei wneud, ond byddai canu yn chwarae rhan amlwg iawn hefyd mewn protest o'r fath. Roedd un emyn Saesneg yn dipyn o ffefryn, sef 'What a Friend we have in Jesus'. Pan fydden ni'n cyrraedd y llinell 'Do thy friends despise, forsake thee?' bydden ni i gyd yn codi'n lleisiau'n dipyn uwch ac yn bloeddio'r llinell i gyfeiriad cartre'r un oedd wedi dewis torri'r streic. Daeth yr heddlu i wybod am y math yma o brotest, a bydden nhw yno wrth y cartrefi, yn sefyll rhyngddon ni a'r tŷ dan sylw. Mae'n rhaid dweud, doedd ymddygiad rhai o'r plismyn yn y fath sefyllfa ddim yr hyn y byddwn i'n ei ddisgwyl ganddyn nhw.

Roedd hyn yn arbennig o wir am y plismyn oedd wedi cael eu hanfon i'n hardal ni o ardaloedd eraill. Roedden nhw'n rhy frwdfrydig, a dweud y gwir, ac yn barod iawn i arestio unrhyw un am yr esgus lleiaf. Os bydden ni'n sefyll ar y pafin y tu fas i gartre un oedd wedi torri'r streic, bydden nhw'n barod iawn i'n harestio. Ein hateb ni wedyn fyddai sefyll yng ngerddi cymdogion gan ei bod hi'n fwy saff yno. Un o hoff dactegau'r plismyn o bant fyddai cerdded ar hyd y rhes ohonon ni, brotestwyr, yng nghwmni un o'r plismyn lleol. Byddai'r boi lleol wedyn yn ein cyflwyno i'r plismyn dierth. Bydden nhw'n dod reit lan at ein trwynau ni ac yn edrych i fyw ein llygaid.

Fe ges i sioc un diwrnod wrth weld 'mod i'n adnabod y plismon lleol a ddaeth gyda'r plismyn dierth yn dda iawn. Roedd ei ferched yn yr un ysgol â'm plant i ac roeddwn i wedi cymdeithasu gyda'i deulu wrth i'r plant dyfu. Pan ddaeth wyneb yn wyneb â fi, pwyntiodd ei fys reit yn fy wyneb a dweud wrth y plismyn eraill, 'Big Troublemaker!' cyn symud ymlaen ar hyd y llinell o brotestwyr. Cafodd ambell un o'r lleill hefyd ei labelu'n 'troublemaker'. Ond dim ond fi gafodd y label 'Big Troublemaker'. Felly, pan aeth ein protest ni'n fwy swnllyd, a ninnau'n morio canu a gweiddi sloganau, fe ddaeth y plismyn yn syth amdana i. Fe ges i fy llusgo o'r stryd a 'nghyhuddo o gamymddwyn.

Doedd fy ngweithred i na gweithred Martin pan gafodd ef ei arestio ddim yn ymylu ar fod yn ddifrifol nac yn fygythiad i unrhyw berson arall. Ond roedden ni yng nghanol brwydr wleidyddol wedi'r cyfan a'r tactegau a gâi eu defnyddio, felly, yn rhai gwleidyddol hefyd. Cadw pobol yn dawel oedd y nod. Tawelu llais protest.

Fel 'na roedd pethau adeg y streic. Un teimlad a fyddai'n gryfach na'r un teimlad arall oedd y teimlad o undod, o dynnu at ein gilydd drwy gyfnod o galedi ac o sefyll dros yr hyn roedden ni'n ei gredu. Ond byddai ambell ochor dywyll yn codi ei phen, ac o gyfeiriad y sefydliad y byddai'r cysgodion hynny'n dod yn ddieithriad. Roedden ni wedi llwyddo i wneud yn siŵr fod pawb yn clywed yr hyn oedd gyda ni i'w ddweud, ac roedd pawb felly yn gwybod ein neges. Roedd pawb yn gwybod beth oedd fy safbwynt i, doedd dim amheuaeth am hynny.

Fe wnaethon ni gyhoeddi ein neges am bron i flwyddyn. Ond yn ystod misoedd cyntaf 1985, daeth yn amlwg fod diwedd y streic yn agosáu.

8. Y diwedd

Yn araf deg, roedd mwy a mwy o'r glowyr ar streic yn teimlo nad oedd modd mynd â'r frwydr ymhellach. Ond doedd dim mwy gyda ni i'w golli wrth aros mas ar streic, ac felly ein penderfyniad ni, fel grŵp cefnogi, oedd parhau i frwydro. Yn gynnar yn y flwyddyn newydd roedd Undeb y Glowyr wedi galw cyfarfod yng Nghreunant er mwyn dweud wrth y glowyr beth oedd y sefyllfa ddiweddaraf.

Yn ôl ein harfer, fe aeth y menywod i'r cyfarfod hefyd, ond y tro yma doedden ni ddim yn cael mynd i mewn. Roedd hi'n anodd iawn derbyn hynny ac roedd cyrraedd cyfarfod swyddogol a chael y drws wedi'i gau arnon ni wedi rhoi tipyn o loes i ni'r merched. Heb ein cefnogaeth ni, fyddai'r streic ddim wedi llwyddo i bara cyhyd ac yn sicr ddim wedi bod mor gadarn yn ne Cymru ag yr oedd hi. Ar ddiwrnod y cyfarfod, fodd bynnag, roedd yn ymddangos nad oedd yr Undeb yn gwerthfawrogi safiad y menywod. Fe wnaethon ni aros y tu fas i'r adeilad lle roedd y cyfarfod a chynnal ein protest ein hunain. Fe wnaethon ni atgoffa pawb wrth iddyn nhw gerdded i mewn i'r cyfarfod o rai o'r prif bethau oedd wedi digwydd yn ystod y streic.

Cafodd Martin fynd i mewn i'r cyfarfod. Pan ddaeth e 'nôl allan a cherdded draw ata i, roeddwn i'n gallu gweld ei fod yn edrych yn bryderus iawn. Dywedodd ei fod wedi cael yr argraff gref fod yr Undeb yn mynd i awgrymu y dylai pawb fynd 'nôl i'w gwaith. Roedd sôn am ddod â'r streic i ben felly, a doeddwn i, na'r menywod eraill, ddim yn gallu credu. Y teimlad yn ein plith oedd i ni ddioddef am gyfnod mor hir, ac eto i gyd roedd y streic yn dal yn gadarn yn ein hardal ni. O ystyried y fath sefyllfa, pam roedd arweinwyr yr Undeb yn ystyried rhoi'r gorau i'r streic? Doedden ni ddim yn deall.

Fe aethon ni adre yn ddigalon iawn y diwrnod hwnnw. Roedd blwyddyn ers dechrau'r streic yn agosáu ac roedd ein harweinwyr yn dechrau sôn am roi'r gorau iddi. Anodd iawn oedd derbyn hynny gan ein bod ni wedi ymladd yn galed i gadw'r pyllau ar agor, i gadw swyddi ac i ddiogelu ein cymunedau. Fe fu'r gefnogaeth i hynny yn ne Cymru yn anhygoel, er i ni golli sawl deigryn yn ystod misoedd y streic. Dagrau oedden nhw oherwydd yr hyn oedd yn digwydd i'n pyllau glo, a dagrau oherwydd ambell sefyllfa ddigon anodd o ganlyniad i'r diffyg arian.

Nawr, am y tro cyntaf, roedd yn rhaid i ni ddechrau wynebu bywyd ar ôl y streic. Beth fyddai'n digwydd i'n pyllau ni? Sawl pwll fyddai'n cau? Roedd Maggie Thatcher wedi sôn am 20 pwll, ond roedden ni i gyd yn credu mai cau 75 pwll oedd ei bwriad o'r cychwyn cyntaf. Felly, roedd yn rhaid i ni ddechrau ystyried y ffaith na fyddai pyllau glo yn y dyfodol. Roedd hynny'n beth anodd a phoenus iawn i'w wneud. Mae papurau'r llywodraeth o'r cyfnod, sydd newydd gael eu cyhoeddi, yn dangos mai ni oedd yn iawn.

Cafwyd adroddiadau ar y newyddion yn awgrymu bod diwedd y streic yn agosáu. Roedd y streic yn dipyn gwannach mewn meysydd glo eraill. Hyd yn oed ymhlith y Cymry, roeddwn i'n clywed mwy a mwy yn dweud nad oedd llawer o obaith dal ati a'i bod hi'n edrych yn debygol y byddai'n rhaid dod â'r streic i ben. Anodd iawn oedd derbyn geiriau fel 'na.

Daeth diwrnod cyfarfod rhanbarthol arall, y tro hwn ym Mhorthcawl. Draw â ni, fenywod, unwaith eto i ddangos ein bod yn gwrthwynebu dod â'r streic i ben. Fe wnaethon ni hynny'n eglur i bawb oedd yn mynd i mewn i'r cyfarfod ac i'r cyfryngau oedd yno hefyd. Erbyn hynny, roedd llygaid pawb ar lowyr de Cymru. Os oedd maes glo mor gadarn â ni'n dechrau newid ein meddyliau, doedd dim gobaith i weddill meysydd glo Prydain. Fe wnes i gyfweliad i raglen radio

The World at One gan atgoffa pawb oedd yn gwrando o'r aberth a wnaeth teuluoedd cyfan er mwyn sefyll dros yr hyn oedd yn werthfawr i ni.

Fe ddaeth mis Mawrth 1985, blwyddyn ers dechrau'r streic. Y grŵp cefnogi a ddaeth i lawr i aros yn ein hardal ni y penwythnos hwnnw oedd yr LGSM. Roedd rhywbeth arbennig yn y ffaith mai nhw oedd gyda ni ar y fath achlysur. Fe wnaethon nhw eistedd gyda ni ac edrych ar y rhaglenni newyddion oedd yn adrodd stori cyfarfodydd pwyllgor gwaith Undeb Glowyr De Cymru ym Mhontypridd. Dyna lle roedd y trafod pwysig yn digwydd. Roedd pobol yr LGSM yn rhannu ein siom, yn deall bod dod â'r streic i ben yn chwalu ein gobeithion a'n dyheadau ni. Ac yna fe ddaeth y newyddion. Roedd yr Undeb wedi pleidleisio o blaid awgrymu y dylai'r glowyr fynd yn ôl i'w gwaith. Daeth diwedd ar y streic, felly, ac roedd yn rhaid i ni roi'r tŵls protestio ar y bar.

Alla i ddim dechrau dweud sut deimlad oedd wynebu'r penderfyniad. Roedden ni'n gwybod ym mêr ein hesgyrn y byddai hynny'n arwain at gau pyllau drwy dde Cymru. Gwnaeth hynny i ni ofidio ac ofni effaith hynny ar y cymunedau lle roedden ni'n byw ac ar ein ffordd ni o fyw. Bwrw ein casineb ar y llywodraeth wnaethon ni oherwydd y ffordd roedden nhw wedi trin y diwydiant glo a'r glowyr fel unigolion.

Daeth y cyhoeddiad swyddogol fod y streic ar ben ar y dydd Mawrth canlynol. Teimlad trist iawn oedd gweld Martin yn cerdded i ben yr hewl er mwyn dal y bws i fynd 'nôl i bwll Abernant. Roedd yn ddiwedd cyfnod, blwyddyn o wrthdaro gwleidyddol na welwn ni ei fath byth eto. Roedd hefyd yn ddiwedd ar ganrif a mwy o ddiwydiant gwaith glo yn ne Cymru. Ar ôl y dyddiad hwnnw, cafodd un pwll ar ôl y llall ei gau yn raddol yn ne Cymru, Erbyn heddi, does dim un pwll dwfn ar ôl ar hyd a lled de Cymru, lle bu cannoedd ar un adeg.

Ond, er mor hir y frwydr ac er mor drwm yr ergyd pan ddaeth i ben, roedd llygedyn o obaith i fi ar lefel gwbl bersonol. O ganlyniad i'r streic newidiodd fy myd i'n llwyr.

9. Dechrau newydd

AR ÔL I'R STREIC orffen, fe sylweddoles y byddai'n rhaid i ni greu bywyd mwy normal i ni fel teulu. Byddai'n rhaid creu patrwm byw tebyg i'r hyn roedden ni'n gyfarwydd ag e cyn y streic. Ond mewn ffordd roeddwn i'n sylweddoli na fyddai pethau byth yr un fath eto. Roedd angen i fi holi'n hunan a phenderfynu beth wnawn i nesaf yn fy mywyd. Oedd cyfle i newid byd, neu ai mynd 'nôl i fod yn wraig i löwr ddylwn i wneud? Fe ddysges i lawer yn ystod y streic. Yn wir, roeddwn i wedi defnyddio llawer o'r hyn ddysges i'n barod ac roedd hynny yn sail i ystyried cyfeiriad fy mywyd yn y dyfodol. Fe weles i'n glir fod y bobol oedd yn dod i benderfyniad ynglŷn â'n bywydau ni'n byw ymhell bant mewn gwirionedd. Doedden nhw ddim yn rhan ohonon ni. Fe sylweddoles hefyd fod y bobol hynny fyddai'n gwneud y penderfyniadau ynglŷn â bywydau pobol gyffredin i gyd wedi cael gwell safon addysg nag roeddwn i wedi'i chael.

Wrth i'r streic ddod i ben, dyma ddechrau meddwl a rhoi cynllun ar waith. Fe benderfynes i fod angen i mi dilyn cwrs gradd. Fyddwn i ddim wedi meddwl gwneud hynny oni bai am flwyddyn y streic. Dysges i lawer am y byd a'i

68

ffordd o weithio bryd hynny. Rhoddodd pobol bob help i fi a dweud pethau caredig gan fy annog i gymryd camau positif: 'Elli di ddim dod â phopeth i stop pan ddaw'r streic i ben, Siân. Rhaid i ti ddal ati gyda'r gwaith rwyt ti wedi bod yn 'i wneud.' Rhan o'r bwriad o ddilyn cwrs gradd oedd y gallwn i wedyn rannu'r baich ariannol gyda Martin. Doeddwn i ddim eisie dibynnu ar ei gyflog e'n unig. Fe welson ni'r perygl o wneud hynny yn ystod y streic. Roedd Martin a fi am newid ein ffordd o fyw fel teulu felly.

Fy agwedd i tuag at yr iaith Gymraeg oedd un peth arall a newidiodd yn ystod y streic. Nid 'mod i wedi tyfu'n fwy Cymreig nac yn fwy o Gymraes – dwi ddim yn credu bod hynny'n bosib. Roedd fy Nghymreictod i wedi tyfu'n gadarn eisoes drwy'r capel, y gymuned ac Undeb y Glowyr. Ddaeth e ddim drwy addysg. Dysges i fwy am frenhinoedd Lloegr nag a ddysges i am hanes Cymru pan oeddwn i yn yr ysgol. Roeddwn i'n gwybod mwy am Sarajevo nag am Gilmeri, ac yn gwybod mwy am Chaucer nag am Dafydd ap Gwilym. Byddwn i'n mynd i ambell Eisteddfod, ond doedd eisteddfota ddim yn y gwaed. Doedd dim arferiad o ddarllen Cymraeg yn ein teulu ni chwaith. Y gwir oedd, doedd dim cysylltiad gyda ni â Chymru y tu fas i'n cymuned ni ein hunain. Ond eto, roedd hwnna'n fwy na digon i fy nhrwytho i mewn Cymreictod glân, gloyw.

Ond wrth i fi wneud cyfweliadau yn y Gymraeg ar y radio a'r teledu, fe sylwes i fod fy Nghymraeg i'n wahanol i Gymraeg y rhai fyddai'n holi'r cwestiynau. Fe ddes i sylweddoli hefyd na fyddai fy nheulu yn ysgrifennu Cymraeg o gwbl, er bod y teulu'n hollol Gymraeg eu hiaith. Byddai Mam-gu er enghraifft, a chanddi Gymraeg naturiol a chyfoethog iawn a byth yn siarad Saesneg, yn ysgrifennu ei rhestr siopa yn Saesneg. Byddai hi'n dweud, 'Mae eisie hanner pwys o fenyn arna i'. Ond byddai hi'n ysgrifennu, 'Half a pound of butter' ar y rhestr siopa er iddi ddweud y geiriau yn Gymraeg. Roedd cyfrannu at raglenni teledu a radio Cymraeg wedi gwneud i fi feddwl mwy am y Gymraeg roeddwn i'n ei siarad o ddydd i ddydd ers i fi gael fy ngeni. O ganlyniad, roeddwn i eisie gwybod mwy am yr iaith a'r diwylliant ynghlwm â hi.

Y cam nesaf felly oedd gweld a allwn i wneud gradd yn y Gymraeg. Ie, fi! Doedd e ddim yn benderfyniad amlwg i rywun fel fi, ond dyna'r syniad fyddai'n cynnig ei hun bob tro y byddwn i'n ystyried y cam nesaf yn fy mywyd. Roeddwn i'n benderfynol o drio 'ngorau. Cwrs gradd oedd y ffordd amlwg lle cawn gyfle i ddysgu mwy am fy mamiaith ac ar yr un pryd ennill cymhwyster a fyddai'n gwella'r cyfleoedd am waith.

Byddai rhai pobol yn synnu wrth glywed pwy fuodd yn ddylanwad mawr arna i wrth benderfynu bwrw ati i ddysgu mwy am y Gymraeg. Cymdeithas yr Iaith, a Helen Prosser yn benodol, oedd y dylanwad hwnnw. Nawr, falle fyddech chi ddim yn disgwyl i rywun sy'n Aelod Seneddol Llafur erbyn hyn dalu teyrnged i ddylanwad Cymdeithas yr Iaith ar ei bywyd. Ond, oherwydd y fagwraeth gwbl Gymraeg ges i, doedd dod i wybod am waith Cymdeithas yr Iaith ddim yn sioc i fi o gwbl. Falle nad oeddwn i o'r un lliw gwleidyddol, ond roedd yr un agwedd at yr iaith gen i ag oedd gan y Gymdeithas. Sylwi ar yr hyn oedd yn debyg rhyngon ni wnes i, nid ar yr elfennau gwahanol. Dyna beth arall wnaeth Streic y Glowyr. Fe ddaeth â grwpiau at ei gilydd na fyddai wedi cydweithio cyn hynny, falle. Fel yr LGSM, mae Cymdeithas yr Iaith yn enghraifft arall.

Fe wnes i rannu sawl llwyfan gyda Helen Prosser adeg y streic. Wrth ei gwaith bob dydd, roedd hi'n ymwneud â byd addysg oedolion. Felly, roedd yn naturiol ddigon i fi ei holi hi ynglŷn â'r opsiynau oedd ar gael ar fy nghyfer i.

Fe gymres i wersi gloywi iaith yn gyntaf ac ar ôl cwblhau'r rheini, aneles i am y cwrs gradd go iawn. I Brifysgol Abertawe es i, gan ddechrau'r cwrs yn 1986, flwyddyn ar ôl i'r streic ddod i ben. Yn y brifysgol fe wnes i gyfarfod â'r Athro R. O. Jones, a ddaeth yn arwr mawr i fi. Teimlwn yn falch iawn wrth gael fy nerbyn ar gwrs coleg i wneud gradd yn y Gymraeg. Mae'n amhosib disgrifio'r teimlad. Mae'n rhaid cyfaddef i mi weld yr unedau gramadeg ar y cwrs yn anodd, ond roeddwn i wrth fy modd gyda hanes yr iaith a'r llenyddiaeth.

Ond os oedd ennill gradd ac ennill hyder yn y Gymraeg yn ddwy gôl bendant, roedd un arall yn cydredeg gyda nhw. Roeddwn i'n benderfynol o gadw'r teulu yn uned gref hefyd, felly rhaid oedd parhau i fyw gartre. Roedd angen trefnu pob diwrnod yn fanwl a gofalus er mwyn sicrhau bod hynny'n digwydd. Ar y pryd, roedd Martin yn gweithio shifft nos a byddai e'n dod 'nôl o'r gwaith pan fyddwn i'n gadael i fynd i'r brifysgol. Byddai e'n mynd â'r plant i'r ysgol cyn mynd i'r gwely. Ar ôl iddo gysgu, byddai'n mynd i nôl y plant o'r ysgol. Erbyn iddo fe orfod gadael i fynd i'r gwaith byddwn i adre i wneud te i'r plant, cyn setlo i wneud gwaith y cwrs gradd. Cofiwch, doedd hyn i gyd ddim yn gweithio fel watsh bob tro. Ar sawl achlysur buodd yn rhaid i Rhodri a Rowena ddod gyda fi i'r darlithoedd. Roedd y ddau wrth eu bodd yn cael rhedeg o gwmpas campws mor fawr.

Un tro, a finnau yng nghanol darlith, dyma Rowena'n pwyntio at y darlithydd a gofyn yn ddigon uchel i eraill glywed, 'Pam ma'r dyn 'na'n edrych fel menyw, ond ma mwstásh 'da fe?' Wel, cafodd pawb drafferth i guddio'u chwerthin. Dro arall, dyma un o'r plant yn gofyn, gan bwyntio at y darlithydd, 'Ife fe yw'r un sy'n gas i'w wraig?' Roedd yn amlwg bod eisie i mi fod yn ofalus wrth rannu gwybodaeth gyda'r gŵr am yr hyn fyddai'n digwydd yn ystod y dydd. Roedd y clustiau bach wedi clywed gormod!

Mae'n ddigon posib y byddwn i wedi cael gradd lawer gwell petawn i wedi bod yn fyfyrwraig amser llawn. Ond fyddwn i byth wedi gwneud hynny ar draul bywyd y teulu. Yn 1987 cafodd Martin wybod bod pwll glo Aber-nant yn mynd i gau yn ystod y flwyddyn ganlynol, felly roedd newid byd arall o'n blaen ni fel teulu.

Mae'n rhaid dweud i fi gael un siom fawr yn ystod fy nghyfnod yn y brifysgol. Fy narlun i o fyfyrwyr, cyn bod yn fyfyrwraig fy hunan, oedd eu gweld ar y teledu yn protestio ym Mharis yn 1968. Fe ddes i ddeall bod myfyrwyr wedi protestio mewn sawl gwlad arall yn yr un cyfnod hefyd. Roedd bwrlwm Streic y Glowyr yn dal yn eithaf cryf pan ddechreues i yn Abertawe, felly roeddwn i'n disgwyl yr un math o angerdd gwleidyddol yno. Ond doedd yna ddim. Roedd difaterwch y myfyrwyr yn syndod ac yn siom, fel roedd eu diffyg gwybodaeth a'u dealltwriaeth hefyd o'r byd cyfoes. Yr unig beth ar eu meddyliau oedd ennill gradd dda a chael swydd dda. Dim byd arall.

Ond, fe ges i un fuddugoliaeth fechan. Fe arweinies i fy nghyd-fyfyrwyr mas ar streic unwaith. Y darlithwyr oedd ar streic mewn gwirionedd. Pan ddigwyddodd hynny, fe wnes i ddadlau na ddylai yr un myfyriwr groesi llinell biced y darlithwyr. Er iddi gymryd sbel fach i esbonio pam roedd hynny'n bwysig, perswadies i nhw yn y diwedd. Gwrthododd y myfyrwyr â chroesi unrhyw linell biced.

Felly, y bore wedyn, ces fy ngalw i weld yr Athro R. O. Jones. Roedd e am i fi esbonio pam nad oedd unrhyw fyfyriwr wedi dod i'r darlithoedd Cymraeg. Yn amlwg, roedd e wedi clywed mai fi oedd wedi arwain safiad y myfyrwyr. Gyda siom ar ei wyneb, dywedodd wrtha i nad oedd hyn wedi digwydd erioed o'r blaen yn hanes yr Adran Gymraeg. Doedd dim un myfyriwr wedi gwrthod mynd i ddarlith oherwydd gweithredu diwydiannol cyn hynny. Fe esbonies fy egwyddorion fel un oedd yn perthyn i undeb ac fe wnaeth e weld fy mhwynt, er nad oedd e efallai yn derbyn fy nadl yn llwyr.

Roedd y myfyrwyr eraill wedi aros amdana i y tu fas i ddrws R. O. Jones. Pan gerddes i mas, roedden nhw am wybod sut roedd pethau wedi mynd. Fe ddwedes i wrthyn nhw i fi ddweud bod pob un ohonon ni wedi sefyll dros yr hyn roedden ni'n credu ynddo ac wedi gwrthod croesi'r llinell biced. Roedd ambell un yn edrych yn ddigon swil. Yn y diwedd, fe fentrodd un esbonio sut roedd llawer ohonyn nhw'n teimlo: 'A dweud y gwir, Siân, roedd mwy o ofon ti arnon ni na neb arall. 'Na pam arhoson ni mas gyda ti!'

Fe ges i frwydr arall yn y brifysgol hefyd. Fe ddes i'n Swyddog Materion Cymraeg ar yr Undeb. Yn rhinwedd y swydd honno, fe ges i sawl brwydr gydag awdurdodau Undeb y Myfyrwyr a'r brifysgol. Roedd myfyrwyr o wledydd tramor yn cael creu eu cyhoeddusrwydd yn eu hiaith eu hunain ac yn Saesneg. Roedd eu posteri'n cael bod yn ddwyieithog – Saesneg a'u hiaith nhw. Ond doedd y Gymraeg ddim yn cael yr un statws yno. Fe fynnes i fod y Gymraeg hefyd yn cael ei chynnwys ar eu posteri. Os na fydden nhw'n gwrando, fe wnes i fygwth y byddwn i'n mynd o gwmpas y campws a rhoi sticeri â'r gair 'Cymraeg!' ar draws eu posteri. Os byddai digwyddiad yn cael ei drefnu gan y Gymdeithas Arabaidd, er enghraifft, roeddwn yn mynnu bod y posteri'n gorfod bod mewn Arabeg, Saesneg ac yn y Gymraeg. Doedd y mudiadau tramor ddim yn fodlon iawn i hyn ddigwydd o gwbl ar y dechrau, ond fe wnaethon nhw newid eu meddyliau.

Fe adawes i Brifysgol Abertawe gyda gradd yn y Gymraeg yn 1989. Roeddwn i wedi cyflawni'r ddwy uchelgais, sef cael gradd a dod i wybod mwy am fy iaith a fy niwylliant. Dyna ddechrau ar gyfnod newydd sbon yn fy mywyd felly. Roeddwn i wedi cymryd cam enfawr tuag at y fan lle rydw i nawr, wrth ysgrifennu'r geiriau yma, fel Aelod Seneddol. Roedd ambell gam pellach i'w gymryd cyn cyrraedd coridorau grym San Steffan. Roedd angen mynd 'nôl i fyd gwaith a byw yn y byd real am gyfnod.

10. San Steffan a thu hwnt

ROEDDWN I'N BENDANT FY meddwl na fyddwn i'n mynd yn athrawes. Doedd gen i ddim diddordeb yn y swydd o gwbl. Er mwyn dangos nad oeddwn i'n gwbl benstiff ac afresymol, fe wnes i ddweud wrth Martin y byddwn i'n ymuno â chwrs hyfforddi i fod yn athrawes os na fyddwn i wedi cael swydd ymhen blwyddyn ar ôl graddio. Ond roeddwn i'n weddol hyderus y byddwn i'n sicrhau swydd ac na fyddai angen i fi gadw at fy addewid.

Y gwaith cyntaf ges i oedd dysgu plant ysgol i ddefnyddio recordydd fideo. Byddwn i'n mynd o ysgol i ysgol yn hyfforddi plant ac athrawon i'w ddefnyddio. Cofiwch, dim ond rhyw wythnos cyn pawb arall fyddwn i o ran deall y recordydd fy hunan. Byddwn i'n dysgu rhyw agwedd ar ddefnyddio'r teclyn un wythnos ac yna'n ei ddysgu i bawb arall yr wythnos wedyn. Fe fues i yn y swydd honno am bedwar mis, ond fe wnaeth y swydd ddangos i fi 'mod i'n hoffi hyfforddi. Hefyd, gwnaeth i fi feddwl yn fwy penodol i ba gyfeiriad y dylai fy ngyrfa fynd.

Fe wnes i ddechrau wedyn ar gyfnod hir o wneud llawer iawn o swyddi gwahanol ac amrywiol tu hwnt. Alla i ddim manylu ar bob un ohonyn nhw, neu byddai eisie cyfres o lyfrau Stori Sydyn arna i fy hunan. Ond, dyma i chi syniad o'r hyn wnes i.

Gweles hysbyseb yn y papur am swydd wnaeth dynnu fy sylw yn syth – swydd gyda mudiad y Ffermwyr Ifanc. 'Galla i wneud y gwaith yna,' meddwn i wrthyf fy hunan. Fe ymgeisies i, a chael swydd fel Swyddog Maes y Ffermwyr Ifanc. Roeddwn i i fod i weithio ym mhob sir drwy Gymru, yn cynnig hyfforddiant amrywiol i glybiau'r Ffermwyr Ifanc, yn y Gymraeg a'r Saesneg. Roedd llawer o waith PR ynghlwm wrth y gwaith hefyd. Er mwyn cael cymorth i lenwi'r ffurflen gais, fe ddefnyddies lyfryn defnyddiol iawn o'r enw *How to Fill in Your CV* gan Coutts Recruitment. Dyna'r llyfryn gafodd ei roi i Martin gan y Bwrdd Glo pan gaeodd pwll Abernant. Doedd y llyfryn fawr o werth i Martin ond buodd o help mawr i fi.

Mae'n rhaid i fi ddweud bod ymateb y Ffermwyr Ifanc i fy nghefndir yn gwbl wahanol i ymateb y myfyrwyr yn y brifysgol. Roedd gan y ffermwyr ifanc ddiddordeb mawr yn y streic. Bydden nhw'n holi'n gyson ac yn fanwl am yr hyn ddigwyddodd. Roedd ganddyn nhw hefyd ddiddordeb mawr yn y ffaith 'mod i'n aelod o blaid wleidyddol ac am wybod beth oedd oblygiadau hynny ac yn y blaen. Roeddwn i'n credu bod eu hymateb nhw'n ddiddorol iawn. Byddai un neu ddau'n cwestiynu beth ar y ddaear roeddwn i'n ei wybod am ffermio a pham 'mod i wedi mynd am y swydd yn y lle cyntaf. Eithriadau fyddai'r rheini gan y byddai'r rhan fwyaf yn dangos diddordeb a brwdfrydedd yn fy nghefndir. Roedd hynny'n galonogol iawn.

Dyma ddechrau dod i nabod pobol ledled Cymru. Ers diwedd y streic, roedd y cylch y byddwn i'n troi ynddo wedi dechrau ymestyn. Troi ymhlith y glowyr fyddai fy myd, y cymunedau glofaol mewn tri chwm, a'r dosbarthiadau nos cyn hynny. Newidiodd fy mywyd wrth i fi ymuno â byd y myfyrwyr a dilyn cwrs gradd, hyfforddi mewn ysgolion ac yna, y cam mawr – teithio drwy Gymru gyda'r Ffermwyr Ifanc. Oedd, roedd pethau'n newid.

Fe ges i gyngor da pan oeddwn i yn y swydd honno gyda'r Ffermwyr Ifanc, gan berson yn y byd PR a ddaeth yn ffrind da i fi. Dywedodd na ddylwn i aros yn rhy hir yn yr un swydd yn ymwneud â gwaith PR. Roedd symud, a gwybod pryd i symud, yn bwysig iawn. Felly, pan weles i swydd arall roeddwn i'n meddwl fyddai o fewn fy ngallu, fe wnes i gais amdani.

Dyma ddechrau gwaith wedyn gydag elusen Achub y Plant, byd newydd eto. Roeddwn i'n gyfrifol am godi arian ar gyfer yr elusen, a hynny unwaith eto drwy Gymru gyfan. Ond er mai yr un oedd y ddaearyddiaeth â phan oeddwn i'n gweithio i'r Ffermwyr Ifanc, byddwn i'n cymysgu gyda phobol hollol wahanol.

Ambell waith, er dim ond ambell waith, cofiwch, byddai gwrthdaro rhyngof i a phobol o gefndir mwy cyfoethog a breintiedig na fi. Doedden nhw ddim yn fy neall i, a doeddwn i ddim yn eu deall nhw. Dywedodd un wrtha i nad oedd hi'n deall fy acen. Roedd Judy wedi bod mewn 'Swiss Finishing School', diolch yn fawr!

Dwi'n cofio amdani'n sôn un tro am un wers gafodd hi yn yr ysgol honno. Cawson nhw wers gyfan ar sut i adael i ddyn eu helpu i wisgo cot! Wel, doeddwn i ddim yn gallu credu siwd beth! Gofynnodd Judy i'r 'Mademoiselle' oedd yn dysgu'r wers, beth os na fyddai dyn yno i estyn cymorth gyda'r got? Yr ateb gawson nhw, a Mademoiselle yn edrych lawr ei thrwyn wrth ateb, oedd na fyddai unrhyw adeg pan na fyddai dyn yno i'w helpu hi wisgo'i chot. Naill ai byddai ei gŵr yno, neu'r *butler* neu *maître d'* yn y gwesty. Sôn am fyd arall, bois bach, ac mor wahanol i sefyll ar linell biced yn ystod streic. Ond doeddwn i ddim yn mynd i newid fy ffordd o fyw i'w plesio nhw o gwbl. Roedd yn rhaid iddyn nhw fy nerbyn i fel roeddwn i, a dysgu bod yn rhaid i fi wneud yr un peth wrth ymdrin â nhw.

Erbyn heddiw, mae Judy a fi'n ffrindiau da, er i'r cyfan fod yn gymaint o sioc pan gwrddes â hi gyntaf. Doeddwn i ddim yn gyfarwydd â throi mewn byd lle nad oedd arian yn broblem. Roedd eu ffordd nhw o fyw yn gwbl wahanol. Ond, yn naturiol, y gymdeithas roedd y bobol yma'n perthyn iddi oedd yr orau ym Mhrydain am godi arian i Achub y Plant.

Daeth yn amser meddwl am newid swydd. Fe wnes i bwyso a mesur popeth roeddwn i wedi'i fwynhau wrth weithio gyda'r Ffermwyr Ifanc a Chronfa Achub y Plant. Ac fe ddes i'r casgliad mai'r gwaith cysylltiadau a materion cyhoeddus oedd yn fy nenu fwyaf. Penderfynes felly chwilio am swyddi lle roedd y math yna o waith yn rhan o'r disgrifiad swydd. Ac fe ges i swydd fel dirprwy reolwr cysylltiadau cyhoeddus i'r Ymddiriedolaeth Genedlaethol yn ne Cymru. Byd newydd arall eto fyth, a byddwn i nawr yn troi mewn cylchoedd cwbl wahanol unwaith eto. Roeddwn i wrth fy modd yn cael ymwneud â threftadaeth Cymru, a bod yn rhan o ddiogelu'r dreftadaeth ar gyfer y dyfodol. Roedd hynny'n gyffrous iawn. Ond byddai hefyd yn brofiad newydd i mi weithio gyda phobol a oedd unwaith eto yn gwbl wahanol, a chyfle i ddysgu sgiliau newydd wrth fod yn rhan o'r Ymddiriedolaeth.

Rhaid nodi hefyd i fi weithio yng ngharchar y Parc, ger Pen-y-bont ar Ogwr, am sbel. Fi oedd y person cysylltiadau cyhoeddus cyntaf iddyn nhw ei gyflogi. Nawr, yn naturiol roedd gofyn delio â phobol oedd wedi troseddu a phobol â phroblemau. Byddai'n rhaid i mi ddelio ag ymholiadau gan y cyfryngau yn ymwneud â rhai o'r problemau hynny, ac ar faterion digon dadleuol yn aml.

Ochr yn ochr â'r gwaith fyddai'n ennill cyflog i mi, roedd y gwaith gwleidyddol yn datblygu hefyd. A dweud y gwir, byddai un yn brwydro yn erbyn y llall. Fe ddes i'n gynghorydd ar Gyngor Tref Castell-nedd pan gafodd y Cynulliad ei sefydlu, a dod yn llefarydd yr adran oedd yn ymwneud â'r rheilffyrdd yng Nghymru. Byddwn i'n lobïo ar bob math o faterion yn ymwneud â'r rheilffyrdd.

Yn 2002 ces fy newis i sefyll dros y Blaid Lafur yn yr etholiad ar gyfer y Cynulliad y flwyddyn ganlynol. Yn Nhrefynwy roeddwn i'n ymgeisydd, lle nad oedd fawr o obaith i fi lwyddo. Does dim llawer o gydymdeimlad â'r Blaid Lafur yn y dref honno, nac yn y sir chwaith. Roedd y dref mor wahanol i Gastell-nedd. Ond, fe fuodd yr holl brofiad yn werthfawr iawn i fi o ran profiad gwleidyddol. Fe fydda i bob amser yn cynghori unrhyw un sydd am fod yn wleidydd i sefyll etholiad yn rhywle. Does dim gwahaniaeth a oes ganddo obaith o ennill y sedd neu beidio, rhaid ystyried hynny fel prentisiaeth.

Ar ôl yr etholiad, fe ges i waith newydd fel Cyfarwyddwr Women's Aid yng Nghymru. Anrhydedd oedd cael gweithio gyda menywod a phlant drwy Gymru a gweld sut roedden nhw'n ymladd yn erbyn bywyd anodd bob dydd. Roedd yn gyfnod o newid i'r mudiad gan fod angen datblygu strwythur newydd i uno'r canghennau unigol – 37 drwy Gymru. Roedd angen creu un ymbarél dros y cyfan er mwyn gwella'r ffordd o weithio ac roedd bod yn rhan o hynny yn brofiad gwerthfawr.

A dyna ni'n dod at San Steffan. Yn 2004 ces fy newis i gynrychioli'r Blaid Lafur yn etholaeth Dwyrain Abertawe – y fenyw gyntaf i gael ei dewis i sefyll yn yr etholaeth erioed. Os ydyn ni am senedd sy'n cynrychioli'r gymdeithas gyfan, rhaid cael gwared ar y ddelwedd taw dynion yn gwisgo siwtiau sy'n rhedeg y wlad. Roedd Dwyrain Abertawe hefyd yn un o'r seddi mwyaf diogel i'r Blaid Lafur – nid yn unig yng Nghymru, ond drwy'r Deyrnas Unedig.

Ar ddiwrnod yr etholiad, fe ges i fy ethol gyda mwyafrif o dros 11,000. Ychydig funudau cyn y cyhoeddiad swyddogol, fe wnaeth un o'r swyddogion fynd â mi naill ochr a dweud mai fi oedd wedi ennill. Anodd disgrifio pa mor gyffrous roeddwn i pan glywes i'n swyddogol taw fi fyddai'r Aelod Seneddol newydd. Ces lythyr wedyn yn fy nghyfarch fel yr Aelod newydd a rhoi gwybod i mi beth i'w wneud. Yn syml iawn, byddai'n rhaid i fi fynd i San Steffan, cyflwyno fy hunan i'r dyn wrth y drws a dangos y llythyr iddo. Yno, byddai'n rhaid dangos copi o'r anerchiad a wnes i ar ôl i mi gael y canlyniad, a dangos fy mhasbort. Dyna ni, dim seremoni fawr na llawer o ffys. Roedd e mor syml a di-nod â hynny.

Wrth i fi sefyll yno yn dangos y dogfennau, fe glywes i lais o'r tu ôl i fi yn fy nghyfarch, 'Bore da, Mrs James.' Fe wnes i droi tuag at y llais, a dyna lle roedd un o'r plismyn ar ddyletswydd y tu allan i fynedfa San Steffan, yn fy nghyfarch. 'Siwd ma'r tywydd yn Abertawe bore 'ma 'te?' Wel, allen i ddim fod wedi cael cyfarchiad a fyddai'n gwneud i fi deimlo'n fwy cartrefol!

Gwahanol iawn oedd y profiad ar ôl mynd i mewn i'r Senedd. Yn ystod y dyddiau cynnar hynny, rhai o'r bobol gyntaf i fi eu gweld oedd Aelodau a oedd yn rhan o'r llywodraeth Dorïaidd yn ystod Streic y Glowyr. Anodd iawn oedd gwrthsefyll y demtasiwn o roi pryd o dafod iddyn nhw. Ond roedd yn rhaid dysgu bod ffordd arall o ennill dadl yn Nhŷ'r Cyffredin ac na fyddai rhoi clatsien i Douglas Hurd yn ffordd dderbyniol!

Felly, dyna fy nhaith ar hyd y siwrne o'r streic i San Steffan. Ond, fel yn stori *The Wizard of Oz*, 'nôl ble ddechreues i'r daith mae fy stori'n gorffen. Ar ôl bod yn Aelod Seneddol am ddeng mlynedd, mae'n amser rhoi'r gorau iddi. Yn syml, dwi am ddod 'nôl i fod yn rhan o gymuned sydd wedi rhoi ffurf ar fy mywyd a'm personoliaeth. Dwi am ddychwelyd i'r cymunedau gafodd eu heffeithio cymaint gan Streic y Glowyr. Dyw'r cymunedau ddim yr un peth ag roedden nhw yn ystod y streic nac yn union ar ddiwedd y streic chwaith. Ond yr un yw'r bobol. A dyna'r bobol dwi am weithio gyda nhw nesaf. Dwi ddim yn siŵr pa fath o waith fydda i'n ei wneud, nac yn gwybod pa waith fydda i'n ei wneud wrth weithio gyda chymunedau drwy Gymru. Ond dwi'n gwybod mai dyna fydda i'n ei wneud.

Ydi, mae'r streic wedi newid fy mywyd. Dwi'n bendant y byddwn i'n gwneud yr un peth yn union eto petai sefyllfa debyg i'r un cyn y streic yn codi. Ond fydd hynny ddim yn debygol o ddigwydd gan mai Streic 1984/85 oedd brwydr fawr olaf yr Undebau. Roedd y streic yn frwydr hanesyddol go iawn, a wnaeth newid Cymru.

Ond mae ffyrdd eraill o frwydro nawr. Dwi wedi bod yn rhan o'r sefydliad sydd yn ceisio rhoi trefn ar fywyd y Deyrnas Unedig am ddegawd. Mae'n bryd i fi symud ymlaen gyda'r un neges – a'r un egni, gobeithio – am fod y frwydr yn parhau!

Hefyd yn y gyfres:

£1
yn unig

CYMRU
A'R RHYFEL BYD CYNTAF

Gwyn Jenkins
Gareth William Jones

yl olfa

Stori
Sydyn

£1
yn unig

Bryn
y Crogwr

Bethan
Gwanas

y Lolfa

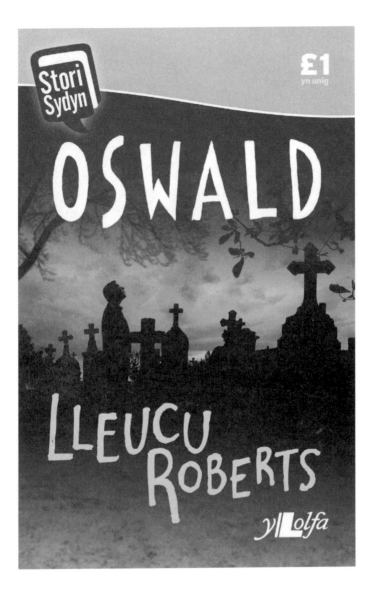

Stori
Sydyn

£1
yn unig

OSWALD

LLEUCU ROBERTS

yLolfa

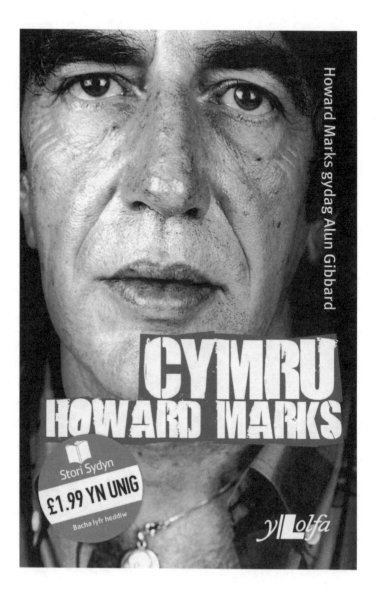

Howard Marks gydag Alun Gibbard

CYMRU HOWARD MARKS

Stori Sydyn

£1.99 YN UNIG

Bacha lyfr heddiw

yLolfa

Stori
Sydyn

£1
yn unig

Aled a'r Fedal Aur

Aled Sion Davies

y Lolfa

Llongyfarchiadau ar gwblhau un o lyfrau Stori Sydyn 2015

Mae prosiect Stori Sydyn, sy'n cynnwys llyfrau bachog a byr, wedi'i gynllunio er mwyn denu darllenwyr yn ôl i'r arfer o ddarllen, a gwneud hynny er mwynhad. Gobeithiwn, felly, eich bod wedi mwynhau'r llyfr hwn.

Hoffi rhannu?

Gall eich barn chi wneud y prosiect hwn yn well. Nawr eich bod wedi darllen un o lyfrau'r gyfres Stori Sydyn, ewch i www.darllencymru.org.uk i roi eich sylwadau neu defnyddiwch #storisydyn2015 ar Twitter.

Pam dewis y llyfr hwn?
Beth oeddech chi'n ei hoffi am y llyfr?
Beth yw eich barn am y gyfres Stori Sydyn?
Pa Stori Sydyn hoffech chi ei gweld yn y dyfodol?

Beth nesaf?

Nawr eich bod wedi gorffen un llyfr Stori Sydyn – beth am ddarllen un arall? Edrychwch am deitlau eraill o gyfres Stori Sydyn 2015.

Bryn y Crogwr – Bethan Gwanas
Ar dy feic – Phil Stead
Cymru a'r Rhyfel Byd Cyntaf
– Gwyn Jenkins a Gareth William Jones